JN044524

サンディエゴ動物園のジャイアントパンダ

ミュンヘン動物園のオーロックス（ヘック・カトル）

ティアパーク・ベルリンのスマトラトラ

天王寺動物園のホッキョクグマ

高知県立のいち動物公園のマレーグマ

宇都宮動物園のキリン

カバシャムワイルドライフパークのケバナウォンバット

アルペン動物園のオコジョ

旭川市旭山動物園のシンリンオオカミ

恩賜上野動物園のライチョウ

鹿児島市平川動物公園のコアラ

ラグナン動物園のゴリラ

いおワールドかごしま水族館のコンペイトウウミウシ(左)とフタイロニシキウミウシ(右)

ベルリン水族館のトゥアタラ(ムカシトカゲ)

ポイントディファイアンス動物園・水族館のラッコ

ファウニアのアデリーペンギン

蒲郡市竹島水族館のタカアシガニ

アクアマリンふくしまのユーラシアカワウソ

沖縄美ら海水族館のアメリカマナティー

鴨川シーワールドのシャチ

ツーオーシャンズ水族館のシロワニ

おたる水族館のセイウチ

下関市立しものせき水族館 海響館のバンドウイルカ

天王寺動物園の西岡真さんとコアラ

ベルリン動物園のトーマス・レンツナーさんとジェームスフラミンゴ

長野市茶臼山動物園の樽井奈々子さんとウォンバット

鳥羽水族館の三谷伸也さんとジョフロアカエルガメ

沖縄こどもの国の安座間健也さんとアジアゾウ

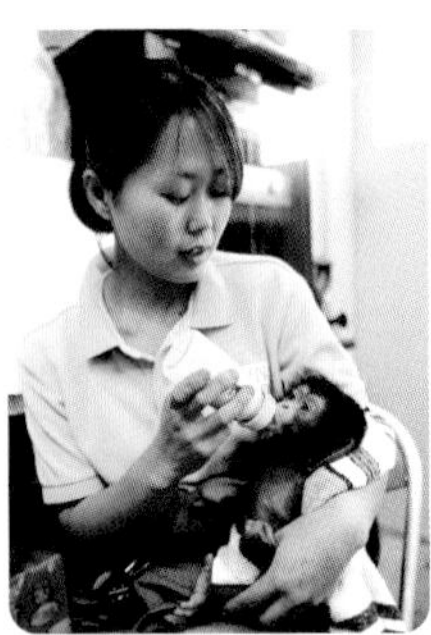
日立市かみね動物園の大栗靖代さんとチンパンジー

市川市動植物園の水品繁和さんとスマトラオランウータン

安部義孝さん（左）と小宮輝之さん（右）と縄文犬

バーガー動物園のマックス・ヤンセさん

旭川市旭山動物園の坂東元さんとレッサーパンダ

秋田市大森山動物園の佐々木祐紀さん
とニホンイヌワシ

長崎バイオパークの伊藤雅男さんとカバ

蒲郡市竹島水族館の
戸舘真人さん

高知県立のいち動物公園の
本田祐介さんとナマケモノ

鹿児島市平川動物公園の福守朗さんと
トカラウマ

高田勝さんと口之島牛

熊本市動植物園の松本松男さんとクロサイ

フランクフルト動物園のジェシカ・
グリュネバルドさんとアイアイ

横浜市立金沢動物園(当時)の
宮川悦子さんとコアラ

故・正田陽一さんと
フンボルトペンギンたち

約40年の時を経て右の写真と同じ
ホッキョクグマ舎の前で

小さいときに連れて行ってもらった天王寺動物園

写真家としても活動している

クジャクの飾り羽を拾って上機嫌

ビジネスパートナー、ユルゲン・ランゲ博士と

マリンワールド海の中道の人工哺育で育った
ラッコ「マナ」と

世界をめぐる
動物園・水族館コンサルタントの
想定外な日々
Motofumi Tai
田井基文
産業編集センター

プロローグ

「ライオンの赤ちゃんが生まれました！　見に来ませんか」

「○○水族館がリニューアルしたらしいですね。もう行きました？」

「知床半島にシャチが来てるみたいです。一緒に行きましょう！」

「△△動物園の草食獣担当に知り合いがいたら紹介してください」


毎日のようにこんな連絡が僕のもとに届きます。いずれも、動物園や水族館、そして生き物に関する内容です。

なぜこんな連絡がたくさんくるのでしょうか。実は、僕が「動物園・水族館コンサルタント」という、ちょっと珍しい仕事をしているからです。

日本でただ一人の「動物園・水族館コンサルタント」

「動物園コンサルタント？　聞いたことがない」「動物園で働いている人と何が違うの？」と思われた方も多いかもしれません。

動物園・水族館コンサルタントは、人々に愛される魅力的な動物園や水族館をつくるためのアドバイスをしたりお手伝いをしたりする仕事です。今のところ、日本でこの仕事をしているのは僕だけのようです。

自己紹介が遅れました。僕は田井基文（たいもとふみ）といいます。動物園・水族館コンサルタントを名乗り始めてからおよそ12年。日本全国のみならず、世界中の動物園・水族館、およそ１０００以上をめぐって仕事をしてきました。

人は一生に３度動物園へ行く

一説によると、人は生涯に最低でも３度、動物園や水族館を訪れるタイミングがあるそうです。1度目は子ども時代に家族や先生や友達と。2度目は恋人とデートで。そして3度目は親になって、自分の子どもと。つまり、多くの人にとって動物園・水族館は人生という長いスパンで何度も訪れることになる、身近な存在なのです。

大阪生まれの僕にとっては「天王寺動物園」や「アドベンチャーワールド（当時は「南紀白浜ワールドサファリ」）が、そんな存在です。天王寺動物園では、檻の真ん前に陣取った僕に向かって、突如としてお尻を向けたトラがおしっこをかけてきたときの強烈なにおいが今でも忘れられません。当時行われていたアシカ池での餌やり体験で、アジの切身に食いつくアシカの迫力に並々ならぬ恐怖を感じたのも覚えています。アドベンチャーワールドで、放し飼いにされていたクジャクのオスの飾り羽を拾ってご機嫌だったこともありました。直後、ヤギに羽を食べられてしまった僕の号泣ぶりは、今でも母親の語りぐさになっています。

みなさんにもきっと、動物園や水族館にまつわる思い出があることでしょう。

どの動物園・水族館にも「よさ」がある

どの動物園・水族館にもそれぞれに魅力があります。「ここにしかいない」動物や「みんなが見たがる流行りの」生き物はもちろん、展示の工夫、ユニークな取り組み、恵まれたロケーションなど。そんな〝ウリ〟となる「ここだからこその魅力」を見つけるのが僕の得意技であり、役割でもあります。

しかし、その魅力をうまく活かしきれていない、表現しきれていない園・館も少なくありません。園長・館長が代替わりしていくうちにオープン当初のコンセプトが忘れられていったり、あらぬ方向へズレていったりすることもあります。そもそも明確なコンセプト自体がないところもあります。あったとしても、それを展示に表現できていなかったり、言語化できずに外部へ発信できていなかったりすることも。なんとももったいない話です。

岐路に立たされている動物園と水族館

また、近年は「アニマルウェルフェア（動物の福祉）」「アニマルライツ（動物の権利）」に対する人々の意識が向上し、これまでエンターテインメント性の強い営業方針を打ち出してきた動物園・水族館のなかには存続を危ぶまれたり、方向性を見失ったりしているところも少なくありません。狭い国土に施設が乱立している状況に対し、「そもそもこんなに必要なのか」という声や、「動物を閉じ込めるのはかわいそうだ」といった存在意義自体を問う声も高まってきています。

さらに、そこへ追い討ちをかけるように、2019年末からのコロナ禍。入場者数が大幅に減少し、経営が苦しくなり閉園・閉館してしまったところもありました。

愛される場所として存続するために

動物の幸せを考えてあげられない園・館を擁護する気にはなかなかなれませんが、まっとうな運営をしてきたところが閉園・閉館に追い込まれてしまうのは非常に残念です。

なぜって、僕は動物園や水族館が大好きだからです。こんなに面白く魅力的な場所はなかなかありません！

人間と同じで、生き物にも一つとして同じ個体は存在しません。個性あふれる魅力的な生き物が集まる動物園・水族館という場所。そこに暮らす生き物たちを大切にお世話し、訪れる人たちに楽しんでもらおうと奮闘する関係者たち。

普段みなさんが訪れる表舞台の裏側にあるたくさんのドラマと、生き物たちのユニークさ、かかわる人たちの姿。動物園・水族館コンサルタントの仕事とともに、それらをみなさんに紹介したいというのが本書の目的です。

舞台裏をのぞく旅へ

第1章では、仕事でかかわったユニークなプロジェクトやトラブルのエピソードとともに、動物園・水族館コンサルタントとしてどのような活動をしているのかをお話しします。

第2章では、一風変わったこの仕事に就くまで、どんな道のりをたどってきたのかをお伝えします。

第3章では、動物園や水族館をつくるときに大事なことや、仕事の流れ、さらには、日本と世界の園・館の違いについて紹介します。

第4章では、動物園・水族館の生き物の暮らしを支えている人たちや、施設の裏側の事情についてお話しします。

第5章では、動物園・水族館がこれから先も続いていくために必要なことや求められる役割について、少し踏み込んだお話をするつもりです。

コラムでは、日本を含む世界中の動物園・水族館のなかからイチオシの施設を、おすすめポイントとともに紹介します。機会があれば、ぜひ足を運んでみてください。

この本を通じて、僕の仕事場でもあり大好きな場所である動物園と水族館へ、少しでも恩返しと貢献ができればうれしいです。

約20年にわたって世界中の動物園・水族館を見続けてきた僕。この魅力的な舞台の裏側をのぞく旅へ、さっそく出発しましょう。

目次

第1章 動物園と水族館をめぐる冒険

こんなことをしています

第2章

気がついたら「動物園・水族館コンサルタント」になっていた

この仕事にたどり着くまで

第3章 動物園・水族館コンサルタントの仕事は予定通りに進まない

動物園や水族館をつくるときに大事なこと

第4章

舞台裏での奔走劇

生き物を支える人々と裏側の話

第5章

「アンコール」の声がききたくて

動物園・水族館が愛される場所であり続けるために

第1章

動物園と水族館をめぐる冒険

こんなことをしています

海外からやってきた河童たち

たとえばこんなプロジェクトにかかわってきました 1

河童のモデルになった生き物って？

沼や川に生息するという河童。もちろん伝説上の生き物ですが、さて、このモデルといわれている動物は何でしょうか？

答えは「カワウソ」です。最近は「コツメカワウソ」というカワウソのなかでも一番小さい種類のものが人気で、その愛らしい様子をテレビや動物園で見たことのある方も多いかもしれません。一方で、南米に住む「オオカワウソ」は文字通りカワウソのなかでは最大サイズ。なんと全長180㎝程度の個体も存在し、「川のオオカミ」と呼ばれるほどの迫力と獰猛さを備えています。そんなオオカワウソですが、たしかに見た目は私たちがイメージする河童に似ていなくもありません。室町時代の辞書『下学集（かがくしゅう）』には、「獺（かわうそ）老いて河童になる」という記述が残っています。カワウソが老いると河童になると考えられていたようです。また、浮世絵師の葛飾北斎は河童の絵を描き残しています。カワウソの写真と見比べてみるとそっくり……かどうかはみなさんの判断にお任せします。

そんなカワウソを、海外から日本の水族館に連れてくるプロジェクトに携わったことがあります。厳密にはまだ僕が動物園・水族館コンサルタントを正式に名乗る前のことでしたが、その後の僕のキ

オオカワウソ。その英名「ジャイアント・オッター」の通り卓越した存在感！

ャリアを思うとエポックメイキングな経験となりました。福島県にある「アクアマリンふくしま」という水族館で、オープン10周年のタイミングで新たに「子ども体験館アクアマリンえっぐ」を併設・新設することになったのです。それにあたって「河童伝説とともに、生きたカワウソの姿を子どもたちに見せてあげたい」と、当時の館長・安部義孝さんから相談がありました。昔の日本では、川辺で泳いだり釣りをしたりする子どもの姿がよく見られました。素潜りをしてカニや魚を捕まえるなど、遊びのなかで試行錯誤する経験を通じて子どもたちはさまざまなことを学んでいたのです。しかし、現代の日本では娯楽が多様になるとともに、安全面の理由で川遊びが禁じられることも増えました。「溺れていた子どもを河童が助けてあげた」「寂しがっていた子どもを河童が遊んであげた」などの言い伝えの残る河童に対し、安部館長はかつての「川ガキ」の姿を重ね合わせていたのでしょう。

このプロジェクトがもち上がったのは2009年。しかし、日本固有種である「ニホンカワウソ」は、残念ながらすでに絶滅したという説が濃厚でした（その後、2012年に環境省が「絶滅宣言」を出しています）。ニホンカワウソはもとをたどれば「ユーラシアカワウソ」の系統ですが、当時、すでにユーラシアカワウソでさえ国内で展示している施設はほんのわずかしかなかったのです。

しかし、国内で飼育されていたユーラシアカワウソたちはいずれも繁殖がうまくいっておらず、譲ってもらうのは難しい状況でした。そこで、僕と、僕のビジネスパートナーであるランゲ博士（後で詳しく紹介します）が独自のネットワークを駆使して世界中の動物園・水族館へ相談。ドイツの「ミュンヘン動物園」から1頭、オーストリアの「アルペン動物園」から1頭を譲り受けられることになりました。

安部館長を連れてドイツとオーストリアを訪れた際、現地の関係者は日本独自の河童伝説を非常に面白がってくれました。カワウソの飼育方法について日本の飼育係へ研修をしてもらう手筈（てはず）も整え、無事にカワウソ2頭の導入に成功したのでした。

新施設オープンとともに公開されたカワウソは、子どもたちからおおいに歓迎され、とても幸せそうに見えました。

津波の被害を乗り越えて……カワウソたちのその後

しかし、はるばる海外からやってきたこのカワウソたちを大災害が襲います。

アクアマリンふくしまはいわき市の海岸沿いに建っています。アクアマリンえっぐがオープンした翌年、2011年の東日本大震災でこの一帯は津波で大きなダメージを受けました。この震災と津波で、アクアマリンふくしまの生き物たちの9割、約20万匹が失われました。僕たちが導入した2頭のカワウソも、震災の犠牲になったか、放飼場から逃げ出して行方不明になったのだろうと思われていました。

ところが後日、なんと、瓦礫の下で息を殺すようにじっと身を潜めている2頭を発見。何日も餌にありついていなかったはずです。あらためて生き物のたくましさを感じたとともに、生きていてくれたことに心底ホッとしました。

ちなみに、この2頭の名前は「ドナウ」（オス）と「チロル」（メス）。ドイツのミュンヘンを流れるヨーロッパを代表するドナウ川と、オーストリアのインスブルックの街に代表されるチロル（地方名でもあり民族そのものを指すこともある）から、それぞれつけられました。その後、繁殖がうまくいき、現在、日本全国の動物園・水族館にいるユーラシアカワウソの多くはこの2頭の血統を継いでいます。

また、「このような非常のときにこそ水族館は人々の希望になる」との安部館長の指揮のもと、アクアマリンふくしまはわずか4ヵ月で営業を再開。奇跡の復活を遂げたのでした。

肉食獣の餌は高級ステーキ肉!?
たとえばこんなプロジェクトにかかわってきました 2

キッチンはどこ？

海外の動物園や水族館の仕事をすることも非常に多いです。「サムスン」という電機メーカーの名前を聞いたことのある人もいると思います。韓国にはサムスングループが経営する「エバーランド」という韓国最大級のテーマパークがあり、その敷地の半分ほどが動物園になっています。

その一部であるアフリカエリアをリニューアルしたいという相談を受け、建築家チームと共に現地に出入りしていたときのことです。展示スペースを設計するにあたっては、スタッフが利用するバックヤードの動線の効率を考えることも大切です。「そういえば『キッチン』はどこにあるの?」と質問した僕に、エバーランドの関係者が「ありません」とどことなく得意げな様子で答えました。

ここで言う「キッチン」とはもちろん人間用ではありません。動物が食べる餌を準備したり冷凍保管したりするための場所のことです。広大なエバーランドのアフリカエリアですから表に出ている動物だけでなく、裏で飼われているものも含めると、日本の動物園の規模からは考えられないほどの数の肉食獣がいます。当然大量の肉が必要になるはずです。さぞや大きなキッチンがあるはずでしょうに、見当たらない。一体どこにあるのだろうと不思議に思った僕でしたが、「ない」と返事がきて驚きました。

「ないって、餌はどうしているの!?」と聞くと、なんと、施設内のレストラン(人間用です)に食材を卸している業者が配達した肉を、そのまま動物に食べさせているというではありませんか。「毎日届けてもらうフレッシュな肉を食べさせているので、うちではキッチンは必要ないんです」と、むしろ自慢げに話します。

……このことの何が問題か、みなさんにはおわかりでしょうか?

「よかれ」と思ってしたことが動物のためにならないことも

まず、ストックを保管する冷凍庫を置く場所がないのは大問題です。万が一、レストランに毎日肉を届けている業者にトラブルが起きた場合、動物たちはその日に食べるものがなくなってしまいます。通常、どの動物園でもだいたい10日分くらいの食料のストックは冷凍しておくものです。

また、人間が食べるクオリティの肉は動物にとっては高級すぎます。脂肪分が多すぎたり柔らかすぎたりすることがあるからです。少し硬いくらいの骨つき肉をワイルドに噛みちぎって食べるくらいのほうが、ミネラルやカルシウムといった必要な栄養素を摂取できるという面でも、自然本来の食事に近いという面でも、適切だといえます。

付け加えると、人間用のクオリティの肉は当然ながら高くつきます。実際、動物用の肉に切り替えたことで、餌代がそれまでの3分の1程度にコストカットできたようです。

エバーランドの関係者は、もちろん「よかれ」と思ってこのような方法をとっていたのでしょう。冷凍したものを解凍して食べさせるのではなく、新鮮で高級な肉を食べさせることが動物のためになると信じていたのですから。しかし、実際は前述したような問題点があり、リニューアルにあたっては肉食獣用のキッチンを新設することになりました。

「ほかの動物園ではどうしているのか」「この業界で何が一般的か」というのは、意外と一施設の中だけでは判断しきれないものです。そのあたりにも、僕のような動物園・水族館コンサルタントの存在価値があるのかもしれません。

広大なエバーランドのアフリカエリア「LOST VALLEY」

【お詫びと訂正】

『世界をめぐる動物園・水族館コンサルタントの想定外な日々』の本文とカバーに誤りがありました。深くお詫び申し上げますとともに、左記の通り訂正させていただきます。

※20ページ5行目【正】~思われていました。そして実際1頭が行方不明に。

※20ページ6行目【誤】2頭→【正】メスのカワウソ

※87ページ3~4行目【誤】アクアマリンふくしまでは、毎年オープン日に記念式典を行います。2009年のその式典へ、僕は小宮園長と共に出席していました。→【正】出会いは2009年、小宮園長と共にアクアマリンふくしまを訪れたときのことでした。

※88ページ小見出し【正】アクアマリンふくしまでの出会い

※88ページ10~11行目【誤】2009年の記念式典にも海外からは出席者が大勢集まりました。そのなかにランゲ博士もいました。この時点で→【正】国の内外を問わず彼のもとには多くの人が訪れます。そのなかにはランゲ博士もいました。2009年の時点で

※カバー著者プロフィール【正】国内でもこれまでにアクアマリンふくしま（福島県）や加茂水族館（山形県）など、現在はのいち動物公園（高知県）でアドバイザーとして活躍。

産業編集センター

日本では珍しい「動物園・水族館コンサルタント」

日本に「動物園・水族館コンサルタント」が一人しかいない理由

なんとなく、僕の仕事のイメージがつかめてきたでしょうか？

動物園コンサルタントという仕事をしている人間は、日本では今のところ僕くらいですが、実は世界にはたくさん存在しています。特に欧米圏の動物園・水族館業界ではオーソドックスでスタンダードな存在です。先ほどアクアマリンふくしまでのカワウソ導入の話でも出てきましたが、僕のビジネスパートナーであるユルゲン・ランゲ博士もドイツ人です。彼は欧州を代表する生物学者であり、動物園学者であり、海洋生物学者でもあります。180年近い歴史をもつドイツの「ベルリン動物園・水族館」で統括園長かつCEO

を務め、引退後は僕をパートナーとしてコンサルタントをしています。

日本でこの職業にあまり馴染みがないのは、国や自治体による公営の動物園・水族館が多いせいかもしれません。税金を使って運営されていることからも、「外部にお金を払ってコンサルティングをしてもらう」という発想自体がないのです。あったとしても、「コンサルティング費用を計上する方法やその前例がない」と話す関係者も多いです。

一方、世界では企業運営の施設も多く、名のある園・館でトップを務めた人がアドバイザーとして退任後も残ったり、別の施設にコンサルタントやアドバイザーとして引き抜かれたりすることがよくあります。

日本でも企業運営の水族館が増えてきていることや、公営の施設でも僕のような仕事の重要性と価値を理解できるところが増えてきましたから、今後は同業者も増えるかもしれません。

関係者の情報交換は個々のつながりに依存している

ありがたいことに、日本の動物園・水族館業界において僕のことを知らない人は少なくなってきました。いえ、僕がすごい人間だと自慢したいわけではありません。動物園・水族館コンサルタントという仕事において、業界の関係者に「顔を覚えてもらう」「つながる」ことは非常に重要だといいたいのです。

この業界で働くとは、生き物の命を扱うということです。僕を媒介として施設同士で生き物の交換や譲渡を行うこともあります。顔もよく知らず、普段ろくに交流もしていない人間を信用するというのは無理な話。大事に育てた動物を、信用できない人へ任せるわけにはいかないのです。生き物がより自然で本来の姿に近い環境で心地よく生きられる状態のことを「well-being（ウェルビーイング）」といいます。動物園や水族館の生き物がどこからどこへ移動し、どのように扱われているかにも、最近では非常に透明性が求められてきているのです。

また、「あの動物園では○○を人工哺育で育てているらしい」「あの水族館では△△の方法で展示をしているらしい」といった、飼育や繁殖や展示に関する情報はあまりオープンになってはいません。「日本動物園水族館協会（ＪＡＺＡ）」に加盟している動物園・水族館の生き物に関しては、ＪＡＺＡの独自のウェブデータベースを通じた情報共有や血統管理などが行われているとはいえ、より具体的で細かい情報は、個々の付き合いでのやりとりに委ねられているのです。

最近ではSNSを通じて一飼育係が情報を発信することも増えてきています。しかし動物園・水族館にかかわる人たちが、必要だと思ったときにすぐに役立つ実践的かつ現実的、そしてより細分化された専門的な情報を共有する、体系立った場のようなものは特に存在していないのが現状です。

世界中、日本中の動物園・水族館をつなぐ「ハブ」として

このような事情からも、日本国内はもちろん、世界中の動物園・水族館の今の情報を把握している僕のような存在が求められることはご想像いただけるでしょう。つまり僕は、世界中の動物園・水族館をつなぐ「ハブ」のような役割をしているのです。多くの飛行機が乗り入れ、各地への中継地として機能する空港を「ハブ空港」と呼ぶことがありますが、まさにそんなイメージです。

特に、海外とのネットワークの広さと深さが僕の強みです。希少な野生動物を保護する

ことを主な目的として制定されたワシントン条約の影響で、日本国内だけで新たな個体を野生下から手に入れること、展示を維持することはもはや不可能です。生き物のウェルビーイングについて日本の何歩も先を行く海外の情報を把握し、展示に反映することも非常に重要です。

世界中の動物園・水族館とつながりをもち、地球規模で動物園・水族館のことを考えられる人間。そのようなバックグラウンドが、僕の動物園・水族館コンサルタントとしての価値を支えてくれています。

人と情報をつなぐ「ハブ」として大切なこと

動物園・水族館の生き物はスペシャリストたちに支えられている

世界中の動物園・水族館の関係者とネットワークを築くのに大切なことは何かと問われたら、僕は「リスペクト」だと答えます。

園長・館長が運営や展示について一定の決定権をもっているのは当然といえば当然です。とはいえ、特に日本では公営施設が多いという背景も相まって園長・館長や獣医師（獣医師出身の園長も多いです）に権限が偏る傾向があります。しかし、忘れてならないのはそれぞれの生き物の飼育を担当する現場の「飼育係」です。海外では飼育係は「キーパー」と呼ばれ、よりより飼育のプロフェッショナルとして尊敬され、待遇面でも尊重されていることが多いです。

僕もさまざまな施設を訪れた際、飼育係と親しく話すことがよくあります。彼らはみな、担当する生き物に対し誰よりも一生懸命です。担当動物のことを誰よりも詳しく知っているのも彼らです。彼らがもっている生の情報はほかの施設でも役に立つことばかり。僕はいつも彼らに尊敬の気持ちをもちながら交流しています。

もちろん、園長・館長や獣医師をはじめとする飼育係以外の関係者に対しても同様です。相手の話をよく聞いて、相手が大事にしていることを最大限リスペクトする。「この展示、植栽とのバランスがいいですね」「いい群れの飼育になりましたね」など、気がついたところは積極的に伝えるようにしていますが、相手をリスペクトする気持ちは自然と態度に表れるものだとも思っています。

また、相手に話してもらうだけではなく、僕自身が知っていることで相手の役に立ちそうなことは、積極的に伝えるようにしています。「○○動物園ではこういう飼育をしていましたよ」「△△水族館ではこのやり方で繁殖がうまくいっているらしいです」など、話せる範囲で情報を共有するのです。

「田井さんとは自分たちと同じ温度で生き物の話ができる。ほかの施設のことや世界の状況にも詳しい。何かあったら安心して相談できる」と思ってもらえていたらうれしいですね。そのような関係性があってこそ、「はじめに」の冒頭で紹介したようなさまざまな連絡が僕のもとに集まってくるともいえそうです。

「この街につくる」ということ

また、動物園・水族館を「この街につくる」という意識をもつことも大事にしています。インバウンド（外国人の訪日旅行）や遠方からの訪問がありがたいのはもちろんですが、動物園・水族館は、地元の人々に愛されてナンボだと僕は思います。特に、公営の施設が多い日本ではなおさらです。

その動物園・水族館のある街にはどんな歴史があるのか。どんな文化が根付いているのか。どんな人々が住んでいるのか。何が愛され、何が大事にされているのか。そういった個別の背景をしっかり理解し、園・館のあり方や展示のコンセプト、飼育する生き物のラインアップに反映することは非常に大切なことです。それでこそ、地元の人々に愛され、誇りに思われ、長く続いていく施設になれるはずです。

僕たちの仕事は「なんとなくいい感じの施設」をあちこちへコピーアンドペーストすることではありません。愛される施設とはどうあるべきかという普遍性を、その地域や街の文化にふさわしい形に「翻訳」し、提案する。そしてそれを地元の関係者たちと共につくり上げていく。これが動物園・水族館コンサルタントの仕事なのです。

歴史ある「ナポリ水族館」をどうリニューアルするか

そういえば、イタリアのナポリを訪問した際、面白い体験をしたことがあります。現存する世界最古の水族館である、ナポリ水族館をリニューアルするということで僕とランゲ博士が呼ばれたのです。当時の館長はいつもどこかしらでランゲ博士の姿を見るにつけ「Oh, Jürgen！ I have a problem」と声をかけてくるのが定番でした。ちなみにこの“problem”は、本当に「困った問題」という場合も稀（まれ）にありますが、いざ話を聞いてみると大した問題とは到底思えないことばかりで、むしろこちらが困ってしまうほどでしたが（笑）、僕もランゲ博士も彼女からそうして声をかけられるのがある種の楽しみに感じるほど、どうにも憎めない愛嬌のある女性でした。

さて、ナポリの空港に降り立ち、タクシーでホテルまで移動した翌朝、頼んでもいないのにホテルの前でタクシーが待機していました。その後も、僕たちが行く先々でタクシーが待っていました。「昨日乗せたタクシーの運転手は俺のいとこだよ」や「さっき水族館まで行った運転手とは30年来の付き合いでね」といった、あっけらかんとした会話が不思議と嫌な気持ちにさせないところがこの街の人たちのいいところです。

はたまた、ある日打ち合わせを終えた僕たちがランチタイムを逃してお腹を空かせてさまよっていたときのことです。港に小さな食堂を発見しましたが、どう見てもアイドルタイム（休憩時間）のよう。いささか遠慮がちに顔を覗かせると、昼寝から目覚めた店主が「Prego prego！（どうぞどうぞ）」と招き入れてくれました。面白いのはここからです。料理が出てくるのを待っていると、突然ギターをもった3人組がやってきて、目の前で何の前触れもなく突然ライブがスタートしたのです。驚き半分の我々がもてなされている様子に惹（ひ）きつけられてか、ほかのお客さんたちも続々集まり、いつの間にか満席に。まさにサンタ・ルチアの港で一緒に口ずさんだ民謡『サンタ・ルチア』は、一生忘れないでしょう。

タクシーも演奏も、僕たちがリクエストしたわけでも誰かに何かを言ったわけでもありません。小さな港町であるナポリではそうした来客や訪問者に対して、非常にオープンでフレンドリーに接してくれる。それがナポリの人の心意気とでも言いましょうか、気質なのです。

つまり、何が言いたいかというと、僕たちは「そういう街に水族館をつくるとはどういうことか」をしっかり考える必要があるということなのです。事前に文字情報として現地の歴史や文化を把握することはいくらでもできます。しかし、現地の空気を吸い、食事をし、文化や風土に触れ、人とコミュニケーションをとってこそ理解できることは非常にたくさんあります。それを展示に反映することは、僕の仕事の基礎中の基礎です。もっと身近な例でいえば、北海道と沖縄とで

ナポリ水族館は地中海の動植物の研究機関としても機能。歴史、アート、生物が見事に調和

は気候も文化もまったく違いますよね。それぞれの地に新たに動物園や水族館をつくるとしたら、同じコンセプトの施設にはならないはずです。

ちなみに、ナポリ水族館は19世紀に始まった「ナポリ海洋研究所」に起源をもつ、１５０年の歴史ある施設です。こぢんまりとした箱型の建物で、現在の水族館らしからぬ風貌ではありますが、文化財的な側面を考えると建物自体に手を入れるわけにはいきません。水槽の中の装飾に使われる岩一つとっても、ヴェスビオ火山の噴火の溶岩でできていることなど、この歴史ある建物をどう保全しながら生き物の環境を快適に整えてあげられるか。このバランスは非常に悩ましく、実はまだ答えは出ていません。というのも、イタリアは日本とは時間の進み方がちょっと違うのか、遅々としてプロジェクトが進んでいないのです。僕とランゲ博士が死ぬまでにはリニューアルを終えられるといいねと話していますが、どうなることやらです。

動物園・水族館コンサルタントの非日常な日々

スイスの空港で迷子になった話

世界中を飛び回ってあちこちの動物園や水族館を訪れている僕。コロナ禍に突入してからは基本的に日本でおとなしくしていましたが、それまでは月の半分以上は自宅に戻らない生活でした。こんな僕ですので、あちこちへの移動の道中でさまざまなトラブルに巻き込まれるのは日常茶飯事です。

あれは2012年頃だったでしょうか、深夜便でスイスのチューリッヒ空港に到着したときのことです。もう日付をまたいでいるような時間帯でしたので電車は動いておらず、一緒にいたランゲ博士と共にレンタカーでホテルへ向かうことにしました。

空港の敷地内にある駐車場でレンタカーに乗り、出口を探していたところ、迷ってしまいました。さすがは永世中立国のスイス、自国を守るためか山の上に作ったチューリッヒ空港の敷地は構造が実にややこしく作られています。

しかも僕らが借りたレンタカーは古かったせいかカーナビがうまく働いてくれず、敷地内の同じ道をぐるぐるぐるぐる回るはめになってしまいました。

テロリストと誤解されて

「出口はどこだろう？」のやりとりをランゲ博士と小一時間続けた頃、突然、武装した人たちが目の前に飛び出してきました。「そこの車、止まれ！　降りろ！」と、10人くらいの人たちが銃をかまえているではありませんか。

恐ろしさのあまりこわごわと両手を上げて車を降りたところ、相手が警察であることがわかりました。なんと僕たちはテロリストだと思われてしまったのです。

よく考えるとそれも不思議ではありません。ランゲ博士は僕よりもかなり年上です。ブロンドヘアの年配のヨーロッパ人男性と、30歳そこそこの東洋人男性の2人。この組み合わせだけでも海外ではちょっというか、かなり目立ちます。こんな2人が深夜の空港の駐車場で小一時間も同じところをウロウロしていれば、警察に怪しまれても仕方がないというわけです。

「両手を車について、絶対に動くな」と言われ、その通りにした僕たち。映画で見かけるシーンそのものです。「パスポートはどこだ」と言われ在処を伝えると、警察が僕たちのパスポートを確認し、事情の説明を求めました。1時間ほど取り調べを受けた後、無事に解放されたのですが、あまりのショックで、その後、街まで運転してホテルにたどり着くまでの2人の記憶が曖昧です（笑）。

寒波で封鎖された空港からの脱出劇

テロリスト扱いをされるほどのトラブルはさすがにしょっちゅう起こるわけではありませんが、電車や飛行機の交通トラブルはまさに日常茶飯事です。

海外ではストライキがよく起こります。鉄道会社で働いている人たちが労働条件に不満を示し「明日から働きません！」と行動を起こすのです。そうなると駅も電車も機能しません。乗るはずだった電車がストライキで止まっている、そんなことは頻繁にあります。ちなみにそういう場合はレンタカーを借りて移動することが多いです。

日本でも悪天候で飛行機が飛ばなくなることはたまにありますよね。海外でももちろんあります。それどころか、空港自体が閉鎖してしまうこともあります。

ドイツ最大規模のフランクフルト国際空港が寒波と猛吹雪のために閉鎖してしまい、大ピンチに陥ったことがありました。その空港はいわゆるハブ空港で、世界中から飛行機が乗り入れています。そんな空港が閉鎖してしまうと、いったいどうなると思いますか？

正解は、「パニックが起きる」です。フランクフルトの空港に着陸したのはいいものの、その先のどこへも行けなくなるわけです。再開の目処（めど）もまったくわかりません。外は寒波です。空港が閉鎖するくらいの大寒波ですから、おいそれと外に出られる状況でもありません。

このとき、僕は動物園・水族館コンサルタントの仕事を始めて間もない頃でした。今はこの手のトラブルにも慣れているため、パソコンやカメラといった仕事に使う道具は肌身離さず機内にもち込むようにしています。しかしこのときは一式をスーツケースの中に格納して預けてしまっていました。

パニックの起きた空港では、預けたスーツケースはもちろんその場ですぐに出てくるはずもありません。いつ返してもらえるのかもわかりません。そもそも戻ってくるかどうかもわかりません。現地の気温に合わせてもってきたダウンジャケットなどは預けた荷物の中です。Tシャツとスウェットパンツという軽装で搭乗していた僕は冷や汗をかくことになりました。

幸い、携帯電話は手元にあります。しかし、充電が残りわずか。ピンチです。人にもみくちゃにされながらベルリンにいるランゲ博士に電話し、「どうしたらいい⁉ 充電も切れそう」と助けを求める僕の声は半泣きだったかもしれません。「とりあえず電車に乗れ」と言われたものの、同じように考えた人たちの大群で、駅の構内でもパニックが起きています。どこで切符を買えるのかもわかりません。しかしこれしか手段はありません。何時間もかけてなんとか切符を入手し、空港から脱出。まさに身一つです。そこからさらに北の、極寒のベルリン中央駅まで向かい、Tシャツとスウェットパンツ姿でマイナス20℃の寒風吹きすさぶ外へ。車で迎えにきてくれたランゲ博士が神様に見えたのは言うまでもありません。

文化の違いがもたらした珍事件

コロンビアの「明日」は明日ではない

ちなみに、フランクフルト国際空港に預けられたままの手荷物は、1週間遅れで宿泊中のホテルに届きました。すぐに仕事があったため、パソコンとカメラは現地の家電量販店で調達済みです。ドイツ語表記のキーボードが非常に使いづらかったのをよく覚えています。しかし、これでもドイツは良心的なほうです。ほかの国、特に南米のほうの国で手荷物をなくしたら、戻ってくることはまずないと思ったほうがいいかもしれません。

旅行会社の企画で、エクアドル本土の西にあるガラパゴス諸島でツアーガイドの仕事をしたことがありました。ツアーが終わり、エクアドルからコロンビアとヒューストン（アメリカ）を経由して日本へ戻る途中、コロンビアの首都ボゴタの空港が閉鎖されたことがありました。手荷物は返してもらえないわ、乗り継ぎもできないわ、人はあふれているわ、再開の目処も立たないわで本当に困りました。現地の空港スタッフに「いつ再開しますか」と何度聞いても「マニャーナ」としか言いません。マニャーナとはスペイン語で「明日」の意味。これを3日か4日続けて、ようやく空港が再開。「明日」って言ったのは何だったのか……。結局、空港が閉鎖された理由もわからずじまいです。まあとにかく、こんなトラブルには事欠かない毎日です。

台湾で遭遇した奇想天外な高級ランチ

もう一つ、トラブルではありませんが、印象に残っている出来事を紹介させてください。台湾で新たな水族館をつくるプロジェクトへの参加を、途中から依頼されたことがありました。アメリカのコンサルティングチームによって建設中の水族館が、「あまりにアメリカンな雰囲気」を醸し出しているというのです。少しでも台湾らしさを加味してほしいということで、僕たちと、当時の「沖縄美ら海水族館」の館長だった内田詮三（せんぞう）さんがアドバイザーとして招かれたのでした。

アメリカチームと合流した朝のことです。台湾人らしいおもてなしの社交辞令で「ゆうべはよく眠れましたか？　お食事はお口に合いましたか？」と質問した依頼主に対し、アメリカチームが「まあまあかな」と答えました。この返事の仕方もアメリカ人らしいところではありますが、依頼主は「では、ランチには最高級の台湾料理をご用意いたします！」とホスピタリティ精神を発揮。僕とランゲ博士は「とにかく時間がないからランチは用意できません」と事前に言われていたためホテルで朝食をしっかり食べてきていたのですが、せっかくなので同席することにしました。

用意されていたのは豪華絢爛（ごうかけんらん）な中国の宴席料理、満漢全席を思わせる台湾式（？）のフルコース。しかし、なんと最初の一皿として出てきたのはアヒルの頭。さあみなさん、ちょっと想像してみてください。恭しく（うやうや）運ばれてきた大皿の上にかぶせられている銀色の蓋。パカっと開けると目に飛び込んでくる大迫力のアヒルの頭……。

中華料理や台湾料理で独特の逸品が出てくることに多少の馴染みのある日本人の僕でさえ、「アヒルの頭!?　何をどうやって食べろというの？」と目を丸くしてしまいました。店員さんの説明によると、どうやらアヒルのくちばしをパカっと開けて「舌」を食べろということのようです。「ダックタン」、まあ、ようは珍味です。一口食べてみると「ああ、こういう味ね。うん、まあ、そうだよね……」という印象。

これを皮切りに、似たような珍味が次から次へと出るわ、出るわ。僕はなんとか受け入れることができましたが、僕以外のアメリカメンバーは、終始、頭の上に「？」が出続けている状態。どうやら、ほとんど食べることができなかったようです。

ランゲ博士が「僕たちは朝ごはんをしっかり食べてきてよかったね」とこっそり僕に耳打ちしてきたことは忘れられません。ちなみに、新しい水族館に台湾らしさを加味するというミッションはどうなったかというと……。「東シナ海のあたたかい海の生き物」というコンセプトを据え、導入する種の選定に台湾らしさを反映することで無事にまとまったのでした。

まだまだある、動物園・水族館コンサルタントの仕事

生き物や動物園・水族館に関する仕事いろいろ

ここまで紹介してきたのは動物園・水族館コンサルタントとしての具体的なプロジェクトばかり。実は、ほかにもさまざまな活動をしています。

●監修・プロデュース

生き物が出てくる子ども向けの絵本や図鑑、読み物、またときとして生き物をモチーフとしたアクセサリーやバッグなどのアイテムの監修をすることがあります。最近は、新日本カレンダーさんの『ハーモニー学習帳』に掲載する写真と文章を監修しました。著名な

刺繍家の小林モー子さんとのコラボレーション・アクセサリーなども好評です。

また、動物園や水族館で行われるイベントの企画・監修の依頼もあります。春休みや夏休みなど長期休みのシーズンには､子ども向けの生き物イベントの企画の依頼が増えます。

このように生き物や動物園・水族館を核としながら、異業種・異業界との架け橋として機能することはもちろんですが、自身で情報を発信すべく動物園・水族館専門のジャーナリストとしての撮影・取材、執筆活動をライフワークとしています。

●ツアーガイド

旅行会社と組んでツアーの企画と同行をすることがあります。トラブルに関するエピソードのところでガラパゴス諸島へツアーガイドの仕事で出かけたことをお話ししましたね。ほかにも、これまで北極やアフリカ、ヨーロッパなどへのツアーをしたことがあります。海外の方を日本へご案内するパターンもあります。

●国際会議の企画、オーガナイズ

何らかのテーマを設定し、世界中から関係者を集めて情報を交換したり協議したりする場として「国際会議」というものがあります。この国際会議を僕が企画したり手配したりすることもあります。

国際会議を行うのは、何かしら特筆すべき成果が出たときが多いです。たとえば、クラゲの展示で起死回生を遂げた「加茂水族館」で、2015年に「International Jellyfish Conference（IJC）」、日本語でいう「国際クラゲ会議」を開催したことがあります。この水族館は現在のところ山形県鶴岡市が運営している水族館ですが、開館以来、運営母体を何度も変えながら数十年も入場者数が右肩下がりの一途をたどっていました。経営難のあまり、当時の館長・村上龍男さんが私財を投じてまで、なんとか運営している時期も長くありました。もはやここまで、というところまで経営が追い詰められたタイミングで見いだした活路がクラゲの展示。1997年、サンゴ水槽にたまたま交ざっていた赤ちゃんクラゲをそのまま展示してみたところ、ふわふわと漂う愛らしさと美しさの不思議な魅力が来館者に大好評。「これだ！」とひらめいた村上さんの指揮のもと、手探りでクラゲの飼育と展示に取り組み、数十年ぶりに年間入館者数増を記録しました。2005年にはクラゲ展示種類数世界一となり、2013年には大小50種類ほどのクラゲを常設展示し、新館をオープンさせました。現在は常時80種類ほどを展示しているといいます。これはちょっと世界的にも信じられないようなハイレベルのラインアップです。

ここまでくるのに村上さんは筆舌に尽くし難い苦労を重ねたそうです。というのも、クラゲの飼育や繁殖、展示というのは非常に難しく、当時は体系化された方法や知識がほとんど共有されていませんでした。アドバイスを求め、クラゲを展示している日本中の水族館へ足を運んだものの、すげなく追い返されて悔しい思いをしたこともあったといいます。

このような経緯で奇跡の復活を遂げた加茂水族館は、「クラゲが数十種類⁉　信じられない」「クラゲの展示でつぶれかけた水族館が復活？　そんなことがあるの？」と世界中のこの業界の人々から大注目を浴びました。加茂水族館をここまで導いた村上さんの功績と、クラゲの飼育と展示のノウハウを世界に発信し共有するために企画したのが国際クラゲ会議だったというわけです。なお、村上さんは約50年にわたって館長を務め、2015年に勇退。これほど長く水族館長を務めた例は世界的にも非常に珍しく、あらためて尊敬の念を抱かずにはいられません。

ちなみに、この国際クラゲ会議はその後も続いており、2回目は中国の天津、3回目は愛知県の蒲郡（がまごおり）市にある竹島水族館で開催されました。4回目はおそらく来年、オーストリアかフランスで行われることになりそうです。

海外の人が聞きたがる日本の話

「日本は自然豊かな素晴らしい国」は真実

●講演・講義

動物園・水族館コンサルタントの仕事のレパートリーはまだまだあります。

自治体や動物園・水族館、大学や専門学校などの教育機関、カルチャーセンターなどから講演や講義の依頼をいただくこともよくあります。国内で講演する際のテーマで多いのは、動物園や水族館の歴史や成り立ち、海外の動物園・水族館との違いについてです。

海外では、シンプルに「日本の動物園・水族館」について講演することが多いです。というのも、つい最近まで、日本の動物園・水族館は海外の関係者にとって謎に包まれている、不思議な存在だったのです。日本の動物園と水族館の様子を普通に話すだけで、海外の関係者は興味津々の様子で聞いてくれたものです。

ちなみに、なぜ日本の動物園・水族館についての情報が海外に伝わっていないかというと、日本の関係者が発信してこなかったからにほかなりません。少しずつ変わってきているとはいえ、英語や他言語を使える動物園・水族館関係者は多くはありません。言葉の壁があるということですね。さらに、日本人は謙虚で奥ゆかしく、シャイな人も多いです。海外の人と比べ、自分たちのことをアピールするのも苦手です。このような事情から、これまで日本の動物園・水族館業界の情報を海外へ届けることができていなかったのです。

また、もう一つ、海外での講演テーマで人気なのは日本の固有種についてです。固有種というのはその地域にしか生息しない生き物のこと。「ヤンバルクイナ」、「イリオモテヤマネコ」などは国内でも有名ですね。

あるいは、アナグマやカワセミのように、海外にも生息する種にも日本固有のものがいます。「ヨーロッパアナグマ」ははっきりした白黒で、パンダを彷彿(ほうふつ)させるようなモノトーンの毛色ですが、「ニホンアナグマ」は全体的にぼやっと茶色がかった色合いをしています。海外では「茶色のアナグマ⁉ そんなのがいるの⁉」となることもあるわけです。

また、カワセミの仲間は世界に100種類近く存在しますが、各地でその色合いや大きさは異なります。なかでも「ニホンカワセミ」の美しさは世界一ではないでしょうか。ご存知でない方はぜひインターネットで検索してみてください。ちょっとびっくりするくらい美しいですよ。お腹側はオレンジ色、頭と背中側はターコイズブルー。この2色の素晴らしいコントラストは芸術作品のようです。「翡翠」という漢字は「ひすい」とも「かわせみ」とも読みますが、宝石の「翡翠」の名はカワセミの羽の色に由来してつけられたものです。カワセミはその美しい見た目から「飛ぶ宝石」とも呼ばれます。いずれにしても、本当に美しい色です。

そうそう、日本ではメジャーなタヌキも、アジアの一部に生息する固有種で、世界的には非常に珍しいとされる動物です。日本人には馴染み深いだけに、海外からの注目度にはちょっと驚いてしまうほどです。

日本の国土はそう大きくありませんが、固有種の数の多さや豊かさは世界に誇れるものです。これは島国であることや、南北に長細い形をしていることによる自然環境の多様さがもたらしてくれるもの。たとえば北海道の知床半島と沖縄のやんばるの森は同じ国とは思えないほどの差があります。これはほかの国にはない日本の自然の特徴であり、素晴らしい魅力です。「日本にはこんな自然があるのか。こんなに面白い生き物がいるのか」と海外の人たちに喜んでもらえると、日本人として僕も誇らしい気持ちになります。

コロナ禍の名残で現在はあまり多くはない講演業ですが、以前は月に1回程度は世界中で行っていました。日本の動物園・水族館や世界に誇るべき魅力的な生き物について、再び講演を通じて世界へ発信できる日が待ち遠しいです。

「動物園写真家」としての僕

動物園や水族館を訪れる人々を見るのが好き

●写真講習

講演とは別で、写真の講習会を行うこともよくあります。というのも、動物園・水族館コンサルタント以外の僕のもう一つの肩書きが「動物園写真家」だからです。

もともと動物園・水族館コンサルタントになったのも、実は写真撮影が大きく関係していました。このあたりの経緯は第2章でお話ししますが、ともかく僕は写真を撮るのが好きで、動物園・水族館を訪れる子どもたちの様子を捉えた写真展「KIDZOO（キッズー）」を世界中で展開しています。

この写真展のきっかけをつくってくれたのは、ここまで何度か登場しているアクアマリンふくしまの元館長、安部さん。「田井さんは動物も好きなんだろうけど、動物園や水族館という場所が好きなんだろうね。それに、そこを訪れる人間そのものが好きなんだね。まあ、ヒトもれっきとした種の一つだ」と、僕自身が気づいていなかったことを指摘してくれました。そんな安部さんの提案によって、２０１１年にアクアマリンふくしまで開催した第1回の写真展を皮切りに、２０１３年にドイツのベルリン動物園・水族館で第2回のコレクションを開催、さらに第3回のコレクションを沖縄で展開。それらは今もなお巡回型の写真展示イベントとして世界中で続いています。

「写真は見てもらってこそ意味がある」と僕は考えています。ですので、写真展では開催にかかる実費以外の費用をいただいていません。そのかわりといってはなんですが、世界中、日本各地の動物園や水族館で写真講習会を行わせてもらうこともあります。どうすれば動物園や水族館でいい写真が撮れるのかというコツを、実際に体験してもらいながら指導するのです。

短くても半日、通常は丸1日をかけて行うこの写真講習会。最初は座学で「動物をよく観察するのが大事」といった、動物園・水族館での撮影のコツみたいなものをお話しします。その後、参加者と一緒に園内・館内を回り、実際に撮影してもらいます。戻ってきたら一人ひとりが撮影したものを大きなスクリーンに映し出し、講評を行います。最後はそれをプリントアウトしてもち帰ってもらうという流れです。

ありがたいことに、多くの参加者はとても楽しんでくれていたようです。コロナ禍前はレギュラーで開催してくれていた施設がいくつもありました。

写真に「うまい・下手」「いい・悪い」は、実はそんなにありません。見ようによってはそれぞれがいい写真ですし、どの写真にもそれぞれに「伝えたいもの」があるからです。なぜそれを撮影したかの背景を聞くと、「なるほどね」と考えさせられることが多々あります。このようなことからも、自分以外の他人が撮った写真から学べることは非常に多いです。一枚一枚の写真に込められた思いをくむのはとても大切なことだと僕は考えています。

また、大人はついカッコつけた写真を撮りたくなってしまうものですが、子どもはインスピレーション優先。「うわ、この写真は素晴らしい！　エモい！」と思わず声が漏れるような作品は、意外と子どもが撮影したものに多いことも付け加えておきます。

テレビに出演することも

そうそう、2018年に日本テレビの『天才！志村どうぶつ園』に出演させてもらったこともありました。

茨城県石岡市の奥まったところに「東筑波ユートピア」という動物園があります。来園者数の少なさから「日本一客が来ない動物園」といわれていたこの園を再生させるという番組内のプロジェクトで、僕に声がかかったのです。もしかしたらご覧になっていた方もいるかもしれません。

古びた動物園ではありましたが、イノシシを半放し飼いにしている点や、園内の山の斜面をのぼりきった場所の開放感と見晴らしのよさは魅力的でした。僕が発行人を務めるフリーマガジン『どうぶつのくに』にならった「いのししのくに」というコンセプトを打ち出し、再生のための資金はクラウドファンディングで集めることに。結果、当時としては最高額クラスの5800万円強を達成し、無事にプロジェクトを完遂することができました。

ちなみに、当番組に対する業界からの評価はよいものばかりではありませんでした。チンパンジーに洋服を着せたりおつかいをさせたりといった擬人化した内容をエンターテインメントとして放送することは、動物のウェルビーイングの観点ではかなり際どいといえます。チンパンジーについての誤解を視聴者に与えてしまいかねない点や、動物の本来の姿とその魅力を伝えるべきであるという世界的な風潮に反する点は、やはり問題といえるでしょう。

とはいえ、さびれた動物園を再生するプロジェクト自体は僕の本分を発揮できるところであり、動物たちを守るという意味でも、僕に何かお手伝いできることがあればという思いで出演した次第でした。

……といいつつ、ドリフ世代の僕は志村けんさんに会えたという事実だけで感無量だったというのが本音であります。

旭川市旭山動物園

所在地 北海道旭川市東旭川町倉沼
営業時間 9:30〜17:15(季節により異なる)　最終入園16:00
休園日 年末年始、4月・11月に休園期間あり

押しも押されもせぬ、日本最北にして最高の動物園

北の大地の動物園ならではの魅力は雪だけではありません。豊かな大自然に囲まれた旭山動物園の園内は、春夏秋冬それぞれに豊かな表情を見せてくれます。それぞれの動物が本来持つ能力や行動を間近で観察できる「行動展示」なるワードが一世を風靡(ふうび)しましたが、大事なのはそんな言葉尻を追うことではないと気づかせてくれる、常に進化を続ける動物園。まさに業界の牽引(けんいん)役です。ボルネオへの「恩返しプロジェクト」として、弱ったり傷ついたりしたゾウやオランウータンを保護するレスキューセンターの設立支援や、旭山動物園内に寄付（ドネーション）型自動販売機を設置するなど、保全活動の成果も流石の一言。坂東元(げん)園長の潔い人柄も魅力的です。

長崎バイオパーク

所在地 長崎県西海市西彼町中山郷2291-1
営業時間 10:00〜17:00　最終入園16:00
休園日 なし

近藤典生(のりお)先生の魂が宿るカピバラの聖地？ いいえ、カバの“聖池”

九州の雄、長崎バイオパーク。カピバラの聖地として昨今の人気はとどまるところを知りません。ほかにも、ぜひ注目していただきたいのはカバの“聖池”。かつて東武動物公園で「カバ園長」と呼ばれた故・西山登志雄さんの一番弟子であり、「2代目カバ園長」の伊藤雅男さんがつくりあげたカバの楽園です。園全体を見おろす位置にある岩山のラマエリアには、「人と自然の調和」を主題に同園の基本構想を監修した故・近藤典生博士（東京農業大学名誉教授）の記念碑も。岩山に向かって手を合わせれば、動物園の神がきっといい運と縁を授けてくださること間違いなし。

高知県立のいち動物公園

所在地 高知県香南市野市町大谷738
営業時間 9:30〜17:00　最終入園16:00
休園日 毎週月曜日（祝日の場合は翌日休）、年末年始（12/29〜1/1）

四国を代表する誇り高き動物園は硬派ぜよ

熱帯雨林で見られる自然現象「スコール」。のいち動物公園ではその様子を再現し、突然降り出した強い雨に襲われたマレーグマやビントロングが、水遊びをしたり毛づくろいしたりする姿を観察できます。国内の大型動物園としては比較的若い園ですが、30年以上前に「ジャングルミュージアム」をはじめとした数々の斬新な展示プランを打ち立てて実現させているところには脱帽の一言です。目先の流行に左右されない骨太な動物園としてこれから先も君臨し続けてもらいたいもの。高知龍馬空港から車で10分ほどでアクセスできる同園。スコールタイムを眺めれば都会で暮らすストレスまで洗い流せそうな、心に優しい癒し系パークです。

埼玉県こども動物自然公園

所在地 埼玉県東松山市岩殿554
営業時間 9:30〜17:00(季節により異なる)　入園は閉園1時間前まで
休園日 毎週月曜日(祝日の場合は開園)、年末年始

動物園の概念を覆すロマンあふれる展示の数々

「動物園」と言われたとき、いわゆる旧タイプの鉄格子の放飼場をイメージする読者の方は、ぜひ埼玉県こども動物自然公園を訪ねてみてください。そのスケール感と開放感はサファリパークに勝るとも劣りません。そして自然に包まれた環境型の展示は極めてロマンティック。いつのまにか、コアラやクオッカたちの生息環境に思いを馳(は)せている自分に気づくこと請け合いです。目立つ動物だけでなく、人類の暮らしを支え続けてきた家畜類の飼育に力を注いでいるところも同園の魅力。昨今の動物園では珍しく牛を飼育しており、搾乳体験もできます。牛乳パックの中身がどこから来ているのか知らないお子さんの学びにもおすすめします。

アドベンチャーワールド

所在地 和歌山県西牟婁郡白浜町堅田2399
営業時間 10:00〜17:00(季節により異なる)　入園は営業終了1時間前まで
休園日 不定休

パンダだけじゃない！
美しい白浜で大冒険できるテーマパーク

4頭のジャイアントパンダが暮らしているパークとして有名なアドベンチャーワールド。パンダの中国外における繁殖実績は世界一。ガラスを隔てずパンダに出会うことができるのは言うまでもない魅力の一つです。竹を食べる音まで聞こえてきます。しかし、それだけではありません。サファリワールドで出会える肉食動物や、自由に散歩しながら間近に感じることのできる草食動物など、その名の通りアドベンチャーの世界を堪能できます。動物専門学校も併設し、未来の命を担う人材を育んでいます。生き物のパワーを五感で堪能したくなったら、迷わず同パークへどうぞ。

秋吉台自然動物公園サファリランド

所在地 山口県美祢市美東町赤1212
営業時間 9:30〜16:45(10/1〜3/31の期間は16:15まで)
休園日 年中無休

人類の歴史よりも遥かに長い年月をかけてできた日本最大のカルストに暮らす動物の息吹を感じて

国内のサファリパークはどこもそれぞれに特徴があり、趣と味わいに個性があります。広大な敷地面積はもちろんのこと、ランドスケープとしての魅力が求められるサファリとしてはロケーションが何より重要な要素です。その意味で、国定公園秋吉台の外縁の一角を利用した同パークは僕の好みにマッチします。ライオンやトラなどの肉食獣だけではなく、アフリカゾウや国内の他サファリでは見られないインドサイなどの草食獣も美しい環境のなかで抜群の存在感を放っています。アフリカハゲコウをフライトパフォーマンスに使うなどユニークな取り組みからも、飼育技術の高さがうかがえます。

第2章

気がついたら「動物園・水族館コンサルタント」になっていた

この仕事にたどり着くまで

動物園・水族館コンサルタントの意外な幼少期

子ども時代にハマっていたもの

この仕事をしているからには幼い頃から動物や生き物が好きだったのだろうと思われるかもしれません。また、世界中を駆け回っている現在の僕の様子から、さぞかし活発でアクティブな子ども時代を想像する人もいるかもしれません。

がっかりさせるようで恐縮ですが、僕はかなりインドアな子どもでした。実家ではイヌやヒヨコ、金魚などを飼っていましたが、「とり立てて動物好きな子ども」というわけでもなかったように思います。

では、いったい何が好きだったかというと「ゲーム」です。僕の子ども時代といえば、任天堂の家庭用ゲーム機、『ファミリーコンピュータ』、いわゆる『ファミコン』が世に誕生した時期でもあります。母はゲームよりもスポーツをしてほしいと思っていたらしく、サッカー教室に通わされていたこともありましたが、幼い頃の僕はモニターにかじりつくようにゲームづけの日々を送っていました。現在は、そんなゲームプレーの様子を配信してビジネスになる時代なのですから、変われば変わるものです。

漫画や本を読むのも好きで、『ドラえもん』や『ドラゴンボール』はもちろん、特に『ブラック・ジャック』や『火の鳥』などの手塚作品は何度も読み返しました。『ジャングル大帝レオ』はさすが生物学的な考証も完璧に踏まえられていて今読んでも感服しますし、『ブッダ』も紛れもない不朽の名作、『鉄腕アトム』はいまだに僕の心のヒーローです。海外出張の多い父がお土産に買ってきてくれた海外の絵本やアメコミも好きでよく眺めていましたし、スヌーピーの対訳版を母と一緒に読んだ記憶もあります。活字のほうは、もっぱらシャーロキアンで、いまだに『刑事コロンボ』の大ファンで推理ものには目がありません。これらがその後の仕事に影響しているかは、ご想像にお任せします。

中高時代の恩師の影響で早稲田大学へ

地元の公立小学校では、幸いなことに勉強はできるほうで、両親は塾通いもさせてくれました。中学校は、単に家から近いという理由だけで中高一貫の男子校へ。いわゆる進学校で、そもそも勉強自体は嫌いではありませんでしたが、ガリ勉タイプでもありませんでしたから、あえて6年間も男だらけの環境に身を投じたことが正しかったのか……はいささか疑問も残ります。

とはいえ、その後の人生で折に触れて相談に乗ってもらったり僕の仕事に協力してもらったりすることになる恩師との出会いがあったことだけは救いでした。この恩師の学んだ大学へ行ってみたいという思いが、早稲田大学を志すきっかけになったのです。

進学したのは早稲田大学の法学部。動物とはまったく関係ありませんね。とはいえ、何が人生の選択につながるかわからないということで、もうしばらく僕のこれまでの人生の話にお付き合いいただけると幸いです。

法学部を選んだのは、法律のことを知っておいて無駄にはならないだろうと考えたからです。仕事でもプライベートでも何でも「自分は法律のことはよくわからない」という前提は通用しなくなるような気がしていました。

と、先見の明があるようなことを言いましたが、単にほかに強く夢中になるほどに興味をもてることがなかったからともいえます。文学の研究をして食べていくほど文学が好きというわけではないし、経済を勉強して生業（なりわい）にするというイメージもわきませんでした。その意味では、他人にどう思われるかを頭のどこかで意識しながら選んだだけの消去法だったようにも思えます。そんな人間に突如夢が降ってくるはずもありませんが。

ちょっと変わり者の父親と大好きな祖父

そういえば、大学進学に際して父がちょっと変わった〝試し方〟をしてきた思い出があります。「大学進学にかかるあらゆる費用を、今まとめて現金で渡すこともできる。どう使うかはお前の自由だ。それでも本当に大学へ行きたいのか」と、高校3年の僕の決心を揺さぶってきたのです。かなりの金額を提示されたと記憶しています。「これだけのカネがあれば海外でもどこでも行き放題だ。このカネで見聞を広めてその先の人生に活かしたほうがよほどいいのではないか」ともっともらしいことを言ってきた父。面白いことを言う男だなとは思いましたが、恩師の卒業した大学へ行きたいという僕の決意は固く、結局、無難に大学に進学したのです。ただ、今思えば僕が何か夢中になれることを、日本の大学という狭いスケールではなく、広い世界の遠いどこかで見つけてくることを期待したのかもしれません。父は文字通り優しい人で、実にリベラルに僕を育ててくれようとしていたと想像します。まあ、もう少し父が会話が上手だったら、僕の人生にもまったく違ったチョイスがあったかもしれません。ただ、恥ずかしながら当時僕の視野はまったく狭過ぎて、父の意図をうまくくみ取れていたかはわかりませんが……。

実際、そんな僕は大学進学を機に上京するわけですが、とにかく読売ジャイアンツの試合を東京ドームで観戦できることに酔い痴れていたことを告白します。僕が高校2年のときに他界した祖父は信州の出身だったので、大阪で暮らしていながらも大の巨人ファンでした。この「巨人ファン」というエッセンスは年齢や、ときに性別をも超えてたちまちに絆を紡いでくれるから不思議です。そもそも共通の趣味があるわけでもなく、到底雄弁とはいえない祖父とも、その日の試合のことではよく話をできたことがうれしかったのを覚えています。そんなおじいちゃん子だった僕は甲子園球場にもよく祖父と一緒に出かけていきました。読者のなかにも経験者がいるかもしれませんが、「甲子園における巨人ファン」のみが受けるあのアウェー感は表現しきれない恐怖をはらんでいます。いまだにあれほどの疎外感は人生で一度もないかもしれません。そんな経緯から、上京してからの野球観戦が存外の喜びだったことは、重ねて動物園とはまったく関係がありませんが、ここに記しておきたい人生の経験の一つなのです。

広告プロデューサーとしての日々

迷いに迷った就職先

大学時代を過ごしたのは、早稲田のキャンパスよりも、大阪にはなかったタイプの美術館や博物館、東京ドームに神宮球場、神保町の古書店街や秋葉原の電気街、洒脱（しゃだつ）な青山や当時最新スポットだった六本木ヒルズなど。田舎者の僕が魅了されるには十分すぎるコンテンツが満載でした。授業そっちのけで友人と駄弁（だべ）っていたり、旅に出たりもしましたが、いかんせん褒められた学生生活だったわけでもなく、両親には申し訳ない限りです。

就職活動は人並みに頑張ったのですが、自分がどんな仕事をしたいのかはなかなかピンときませんでした。動物園に目覚めるまでにはもう少し時間が必要なようです。

やりたいことがわからなかった当時の僕は、とにかく企業に片っ端からエントリーするという作戦をとりました。専門職には向かないような気がしたので、車や化粧品や時計などのメーカー、旅行代理店、広告会社などにエントリーしました。こんな僕ですが、なぜか選考を受けた企業のほとんどから内定が出たのはありがたい話でした。

特に旅行会社のＪＴＢからは熱烈なオファーを受けました。「今年の全志願者のなかで田井くんが一番ほしい」と言われ（今でも不思議です）、煮え切らなかった僕の自宅にまで人事担当者がやってきて口説かれました。「そこまで言ってもらえるなら、ＪＴＢもいいかもな」とは思ったのですが、「一生旅行の仕事をし続けられるか」を真剣に考えてみるとあまり自信がありませんでした。ＪＴＢに限らず、車も化粧品も時計に対しても同じ印象でした。

唯一「ありかも」と思えたのは広告業。なぜなら、広告会社なら車や化粧品や時計のメーカーの広告をつくろうと思えばつくれるわけです。さまざまな業界の広告をつくることで、さまざまな人たちとかかわりをもつことができます。そういう世界でなら頑張れそうな気がしたのです。

プロデューサーになる

そんなわけで広告会社へ就職し、プロデューサーの肩書きを与えられ、コマーシャルやポスターなどを制作するための進行管理や予算管理、キャスティングなどを行いました。「広告業界ならいろいろな業界とかかわれる」という僕の読みはおおよそ当たっていて、就活生時代にエントリーしたメーカーの広告を手がけることもありました。非常に忙しい業界ではありましたが、そこで得たお付き合いや知見といったものは、今でも続いていたり活かせたりしています。

ちなみに、就活中に熱烈なオファーをくれたにもかかわらず内定を辞退してしまったＪＴＢ。申し訳ない気持ちもありましたが、実は後日談があります。

僕が動物園・水族館コンサルタントになってからの話ですが、「田井基文と行くツアー」をやらないかと声をかけてくれたのです。動物園・水族館コンサルタントとして、ツアーの仕事をすることもあるとお話ししましたね。それがまさにＪＴＢの企画なのです。しかも、このツアーの企画にはくだんの就活生時代に、会社の一員として熱心に入社を勧める一方で、一早稲田大学ＯＢ個人として僕の進路や可能性について親身になって考えてくださったＪＴＢ社員が深く関わっています。いやあ、人生、何がどうつながるかわからないものです。つながるべき人とは何らかの形でつながるようにできているのかもしれません。ありがたくもあり、不思議なご縁を感じる出来事でした。

独立して2年目に訪れた転機

「動物園の話が全然出てこないじゃないか」とそろそろ不審に思われる頃かもしれません。ご安心ください。動物園とかかわり始めるようになるまで、もうまもなくです。

広告会社では3年くらい働きました。しかし、もともとあまり団体行動に向いていないこともあり、あっさり退職。独立し、会社員時代にやっていたような広告物のプロデュースを行うことにしました。

祖父が遺した法人があったので、その一事業部という形で広告制作事業を開始。当初は前の会社の仕事をそのまま引き継ぐなどしていましたが、独立して2年目に転機が訪れました。草野球をしていて右腕を骨折し、入院したのです。

しかし、仕事の進行は入院中も待ってはくれません。携帯電話とパソコンをベッドの上に広げ、利き手ではない左手を使いながら仕事をしていました。ところが、病院のベッドの上という非日常の空間にいるせいでしょうか、なんだかいつもと自分の感覚が違ったのです。

携帯の着信画面に表示される相手の名前が目に入るとときとして憂鬱な気持ちになることが増え、自分の心境の変化に気づきました。メールも一緒です。失礼ながら、新着メールの件名と送り主を見ては「嫌だなあ」「返事したくないなあ」という気持ちになることが増えました。そこで初めて「この案件、あんまりやりたくなかったんだな」「この人のこと、あんまり好きじゃなかったんだな」と気づきました。もちろん、そう感じない仕事や仕事先もありました。しかし、入院という非日常のなかで強制的にクールダウンできたということだったのでしょうか、自分が本当にやりたい仕事とそうじゃない仕事との区別がはっきりついたのです。

「好きなもののリスト」をつくってみたら

興味のあることをあらためて書き出してみた

ネガティブだと感じる仕事に関してはスッパリやめることにしました。いわゆる「断捨離」ですね。ミニマライズ（最小化）したわけです。

断捨離して隙間ができた分、何か新しいことを始めたいなと考え、病院のベッドの上で「自分が好きなこと」を書き出してみました。そんなにかっちりした感じではなく、思いつくままに書き出しただけです。そのなかの一つに「動物園」がありました。

なぜこのときに動物園をリストに挙げたのかはわかりません。幼少期にインドア派な僕をいろいろなところへいざなってくれようとした母。「親の心子知らず」で、その多くの試みは不興を買う結果になりましたが、動物園だけは違ったようです。母の懸命なチャレンジのおかげで、潜在的に僕はずっと動物園が好きでいられたような気がします。

「上野動物園」の小宮園長、荻須係長との出会い

怪我が治って退院し、好きなもののリストのなかにあるもので何か仕事になるものはないかなあと考えていたときのことです。

電車に乗っていて、たまたま動物園だったか水族館だったかの中吊り広告を見かけました。それで「そっか、動物園や水族館も広告って出すよな。そういえばポスターとかもあちこちに張ってるよなあ」と気づきました。せっかく東京に住んでいることですし、なんとなくのイメージで「上野動物園に声をかけてみようかな」と思いつきました。

まずは電話でアポイントをとって園へ出向き、「こういう者なのですが」という自己紹介から始め、「看板でもポスターでも何かつくらせてもらえるチャンスがあればぜひお願いします」とお話ししました。対応してくれたのは当時、教育普及係長だった荻須哲三さん。彼はデザインやアートへの造詣が深く、僕がこれまで手がけてきた仕事などを見てイ

ンスピレーションを感じてくれたようでした。「上質で、気持ちがいいものをつくってくれる」と関係各所へ働きかけてくださり、その後いろいろな案件でご一緒させていただきました。しかし、忘れられないのはやはり最初の仕事です。

今はもう掲示されていませんが、上野駅から動物園までの道に立てる看板を任せてもらったのが、動物園の世界に足を踏み入れるまごうことなき第一歩でした。ちなみに、デザインの打ち合わせの場に「なにやってんの?」とふらりとやってきて、「これ、いいじゃねえか」と言ってくださったのが当時の園長、小宮輝之（てるゆき）さん。小宮さんといえば、上野動物園の歴史上唯一の飼育係出身園長。そのときも僕がろくに挨拶もしないうちにあれこれと大胆で個性的なサジェスチョンをくださったのがとても印象的でした。暇があれば園内で動物を見て回るタイプの園長で、その後も毎日忙しく移動される合間に顔を合わせるようになり、折に触れて薫陶を受けるようになっていったことを懐かしく思い出します。

広告プロデューサーとして上野動物園とかかわるように

上野動物園に関連する仕事のなかでも思い出深いのは、とあるリーフレットを制作したときのことです。

僕が早稲田大学へ進学しようと思ったのは、中高時代の恩師がきっかけだったとお伝えしましたね。実はその先生はとある有名なデザイナーの息子で、国語の教師でありながら類い稀なる画力をもち、そのうえ、ありとあらゆる分野の知識に精通している人でした。色覚に少し問題があったために絵を仕事にはしていませんでしたが、その素晴らしい才能をお借りしたいと思い、リーフレットに掲載するイラストを依頼することにしました。

幸い、喜んで引き受けてくださいました。いつもは口数の少ない奥様が「夫の夢を叶えてもらったような気がします。本人も非常に喜んでいます」とうれしそうにしていた様子が印象に残っています。その後も、この恩師には何度かイラストの仕事をお願いさせてもらったのはいい思い出です。

さて、やっと動物園に関連した仕事をするところまでやってきました。小宮さんとの出会いは間違いなく僕の運命を変えました。また、動物園・水族館コンサルタントになるまでにはもう一つ大きなターニングポイントがありました。動物園に詳しい方はご存知かもしれませんが、『どうぶつのくに』という動物園・水族館業界初のフリーマガジンを発行するようになったことです。

シャッターチャンスは突然やってくる

上野動物園発のフリーマガジン

2009年に僕が企画発行人として創刊した『どうぶつのくに』。A4に近い大きさで、12ページのフルカラーの読み物として始まりました。僕、デザイナー、編集兼ライター、その都度依頼するカメラマンとの4〜5人体制で制作していました。

創刊当初の『どうぶつのくに』でとりあげていたのは上野動物園のことだけです。しかし翌年の小宮園長の退任に伴い、その後は日本動物園水族館協会の公式誌（当時）として取材範囲を全国の動物園・水族館へと拡大し、制作を続けてきました。コロナ禍での自粛期間以来、ウェブコンテンツのほうの充実を図ろうということで、マガジンとしての形での発行は不定期になっています。

そしてこの『どうぶつのくに』のおかげで、僕は自然と日本全国の動物園・水族館とのつながりを築くことになりました。特集する動物園・水族館に連絡をとったり、カメラマンと一緒に写真撮影に行ったりするのが発行人・プロデューサーとしての僕の役割だったからです。

また、在任中の小宮園長は僕に目を掛けてくれていて、「今度○○で講演会があるから行ってこいよ」「△△の記念式典があるから一緒に行くぞ」と、僕にこの業界のことを教えてくれ、関係者と顔をつないでくれました。小宮さんと共に訪れた先々でたくさんの動物園・水族館

『どうぶつのくに』のバックナンバーの一部

関係者と出会い、その後につながる関係を築くことになったのは言うまでもありません。

『どうぶつのくに』はこうして始まった

ところで、そもそもどうして僕が『どうぶつのくに』を発行するようになったかの経緯についても少し触れておきましょう。

当時、上野動物園では「今月の催し」といった類(たぐ)いのペラ一枚のチラシを毎月発行していました。みなさんも動物園・水族館に行った際にそういったチラシを手に取ったことがあるでしょう。しかし、そのチラシはたいていポケットやカバンの中に突っ込まれ、しわくちゃの状態で数日後に出てくるか、園・館のどこかに落としてしまうか、ゴミ箱に捨てられてしまうのが定番です。せっかくつくったチラシがゴミ箱に山盛りになっているのを目にするのは制作側としてはせつないものです。その状況に疑問を抱いた小宮園長が、僕に「どうにかしたいから何か考えてよ」と言ってきました。

その頃、リクルートが発行していた『R25』というビジネスパーソン向けのフリーペーパーが非常に流行っていました。それにヒントを得て「じゃあ、いっそ広告をとってフリーマガジンにしちゃうのはどうですか」と言ってみました。すると「面白そうだな。やってみて」と即GOサイン。しかしそのために新規で予算を割いてくれるなどということはあろうはずもなく……。

制作費のすべてを広告費でまかなわざるをえないということで、複数の企業に企画をもち込み、スポンサーになってもらいました。その後、『どうぶつのくに』を上野動物園から全国の動物園・水族館へと拡大していくにあたって、特にニコンさんにはご理解とご協力をいただきました。本当にありがたく思っています。

「先生！ 今すぐ写真を撮ってきてください」とはさすがに言えない

『どうぶつのくに』の制作を続けるなかで、それまでの僕の役割にも変化が生じていきました。

本来、僕の役割は「発行人」として、カメラマンやライターといったスタッフに仕事を依頼し、制作の進行管理を行うことです。しかし、動物園・水族館を取材対象とするからには、通常の制作物では起こりえない事情も考慮しなくてはなりません。というのも、生き物を相手にするということは、こちらの都合だけで物事を進められないということだからです。

広告会社時代にお付き合いのあった有名な写真家の先生方に撮影を依頼したのはいいものの、当日になって「今日撮影予定のオカピですが、体調が悪いので外には出せません」なんてことがしょっちゅう起こるわけです。あるときには、夜中の12時を過ぎた頃に突然飼育係から「キリンがもうすぐ生まれます！　今来るなら見せてあげられますよ。写真を撮りますか？」と電話がきたこともあります。いくらなんでも、著名な写真家の先生に「今すぐキリンの出産写真を撮ってきてください！」なんて頼めるわけがありません。

このような事情から、やむをえず僕が代わりに写真を撮る機会が増えていきました。写真については専門的にどこかへ弟子入りして勉強したことはありませんでしたが、もともと写真やカメラは好きでしたし、多くの写真家の仕事ぶりを見ながら学び、盗み取ったエッセンスを活かしつつ、いつの間にか本格的に撮影を自分の仕事とするようになっていました。それが今では（公社）日本写真家協会の正会員なわけですから「必要は発明の母」ではありませんが、なるべくしてそうなったようにも感じずにはいられません。

そうこうしているうちに、「『どうぶつのくに』といえば田井さん」という印象が業界に浸透していきました。関係者にいろいろな機会をいただきながら、あちこちの動物園・水族館関係者に顔を覚えてもらい、生き物のことで面白いニュースがあるとすぐに僕に連絡がくるようになったのです。

なお、この『どうぶつのくに』の大ファンでいてくださった方として、故・正田陽一先生がいます。正田先生は日本の動物園・水族館世界最強の〝スーパーレジェンド〟。東京大学名誉教授で家畜育種学を専門にする一方で、日本では当時皆無だった動物園におけるボランティア活動を普及させるために尽力されました。ご本人はあまり公言していませんでしたが、現在の上皇后美智子さまのご親族であり、非常に上品で落ち着いた空気をまとった御仁でした。個人的に生前大変可愛がっていただき、多くの関係者にご紹介くださったことが現在もなお非常に大きな助けになっています。このような方に『どうぶつのくに』を応援していただけたのはとても誇らしいことでした。

話をもとに戻しましょう。一広告プロデューサーとして上野動物園とお付き合いをしていた僕が『どうぶつのくに』の企画発行人、さらには「動物園写真家」としても活動の幅を広げていくようになったのには、ここまでお伝えしてきたような事情があったのでした。

「意外な二人」の出会い

ランゲ博士と初めて会った日

動物園・水族館コンサルタントとしての僕のビジネスパートナーであるランゲ博士と出会ったのも、この流れのなかでした。

アクアマリンふくしまでは、毎年オープン日に記念式典を行います。2009年のその式典へ、僕は小宮園長と共に出席していました。

当時、アクアマリンふくしまの館長を務めていたのは、ここまで何度か登場している安部さんです。実は上野動物園の園長を務めたこともある安部さん。小宮さんにとっての師匠であり、僕も非常によくしてもらっていました。ちなみに、昔、上野動物園内にあった水族館にて、世界で初めて生きたクラゲを展示したのも安部さんです。当時はクラゲの生態やライフサイクルがきちんと解明されておらず、それを学術論文として1977年に発表した安部さんのもとを、世界中の関係者が情報交換に訪れました。実はそのなかにランゲ博士もいたそうです。その後、安部さんは東京都江戸川区に「葛西臨海水族園」をオープンさせ、その手腕が評判となりアクアマリンふくしまの設立にも携わり、初代館長に就任しました。今や安部さんはこの業界で知らない人はいないほどの存在。本来なら研究者として「Dr.Abe」と呼ばれる立場ですが、その親しみやすい人柄のせいか、海外の人からも「Abe-san」と呼ばれています。

アクアマリンふくしまの記念式典での出会い

安部さんについて少し熱く語りすぎてしまいました。そんな世界の「Abe-san」ですから、2009年の記念式典にも海外からは出席者が大勢集まりました。そのなかにランゲ博士もいました。この時点で安部さんとランゲ博士とはすでに30年来の付き合いがあったわけですが、「彼はベルリン動物園・水族館の統括園長・館長のユルゲン・ランゲ博士だよ。田井さんとは話が合いそうだ」と安部さんが僕に紹介してくれたのです。

実は大学でドイツ語を専攻していた僕。たどたどしいドイツ語を交えながらランゲ博士と会話をしました。この数年前にベルリン動物園にて人工哺育で育てられたホッキョクグマの「クヌート」の愛らしさが世界中で話題になっていたため、その話で盛り上がったのを覚えています。クヌートの一件は、本来であればドイツの地元紙で話題になって終わりでもおかしくないくらいのニュースです。しかし、翻訳という一手間をかけ、プレスリリースとして世界中へ発信したことで、クヌートが世界中で話題となったのです。それを指揮したランゲ博士の手腕と、「発信し続ける動物園・水族館であるべきだ」という考えに僕はいたく感銘を受けました。

また、健康上の理由により、ランゲ博士は数年後に統括園長・館長を引退することがこの時点で決まっていました。すでにいくつかの動物園・水族館とアドバイザリー契約を結び、コンサルタントとしてのビジネスを始めていたのです。「引退後は動物園・水族館コンサルタントをメインにやっていきたい」と話していて、僕は「そういう仕事の仕方もあるんだなあ」と思ったものでした。

なぜか馬が合う二人

この出会いをきっかけに、ランゲ博士とはその後も折に触れてやりとりをするようになりました。あちこちで開催される国際会議に一緒に出かけたり、彼が日本に来たときに僕が動物園や水族館を案内して回ったり。もちろん日本へは何度も来たことはあったそうですが、大阪の「海遊館」や沖縄の沖縄美ら海水族館、上野動物園といった国内の代表的な動物園・水族館にしか行ったことがないそうで、それ以外のところや日本の自然を案内して回ると非常に喜んでくれました。動物園・水族館を訪れた後は「あの施設、どうだった?」とお互いに感想を述べ合います。そのときに「あそこよかったよね」「あの展示が面白かった」と心に響いたポイントが共通していることが多く、いつも話が盛り上がりました。年齢も国籍も見た目もバックグラウンドもまったく異なる僕たちですが、感性や価値観に共通点が多いのは不思議な話です。まさに「馬が合う」という感じでした。

決定的に親しくなったきっかけは、2011年に一緒にガラパゴス諸島へ行ったことです。ランゲ博士がガイドを務めるツアーの企画があり、記録係も兼ねて僕も同行させてもらいました。ガラパゴスへ行くのはこのときが初めての体験。みなさんもご存知の通り、いくつもの島々から成り立つエリアです。2週間程度かけて船で島々を訪れて回りました。その間ずっと船上で共に過ごしていた僕とランゲ博士は自然と親しくなっていったのです。極めて狭い客室で膝を突き合わせて過ごしていても、不思議と苦痛ではありませんでした。

「動物園・水族館コンサルタントにならないか」という誘い

こんな感じで数年間の交流を続けてい

ランゲ博士と僕。ガラパゴス諸島での1枚（2017年再訪時）

た僕とランゲ博士。ビジネスパートナーとして2人で動物園・水族館コンサルタントをするようになったのは、ランゲ博士から誘いを受けたからです。というのも、ランゲ博士は欧米圏の動物園・水族館に素晴らしいキャリアとネットワークをもっていますが、日本をはじめとするアジア方面には手を広げきれていませんでした。日本中の動物園・水族館にネットワークをもつ僕と手を組むことで、コンサルタントとしてさらに幅広く活動できると考えたようです。もちろん、感性や価値観が似ていたことも大きな理由だったでしょう。先のガラパゴス諸島での日々で人間的な相性のよさをお互いに感じ取っていました。「一緒にやらないか」というランゲ博士の誘いを「面白そうだな」と感じた僕は、2011年に初めて「動物園・水族館コンサルタント（Zoo・Aquarium Consultant）」としての名刺をつくりました。僕とランゲ博士の会社屋号は、その名も「azc -Aquarium Zoo Consulting-」です。

以上が、僕が動物園・水族館コンサルタントと名乗り、現在のような仕事をするようになったいきさつです。つくづく、人生は何が起きるかわかりません。現在の何が未来の自分につながるかを先読みするのは難しいものですね。

サケのふるさと 千歳水族館

所在地 北海道千歳市花園2丁目312
営業時間 9:00〜17:00(冬季は10:00〜16:00)
休館日 年末年始、メンテナンス休

「水族館における教育」を語るうえで右に出る者なし

動物園・水族館のこの先の未来は「教育」とともにのみあるべし、というのが僕の持論（詳しくは第5章でどうぞ）。それを千歳水族館はこのうえなく体現しています。北海道といえば、というわけで同館ではサケに関するさまざまな教育プログラムやアイヌ文化とのかかわりを伝える取り組みなど、体験プログラムの充実ぶりで右に出る施設はありません。学校などの教育関係団体および一般団体に向け、要望に合わせた学習対応をしており、サケを卵から受精、飼育、再度水族館から千歳川へ放流するまでを一連のプログラムにしています（※体験できるプログラムの詳細については直接施設にお問い合わせください）。千歳川の水中を直接見ることができるというその建築のユニークさのみならぬ見どころ満載の水族館です！

世界淡水魚園水族館 アクア・トトぎふ

所在地 岐阜県各務原市川島笠田町1453
営業時間 9:30〜17:00(土日祝は9:30〜18:00) 入館は閉館1時間前まで
休館日 年中無休(河川環境楽園全体の休園日は休館)

巧みな構成力を武器に、"淡水魚"で勝負する水族館

「淡水魚」という一見すると地味な印象を与えがちなコンテンツ"のみ"で勝負する水族館が岐阜県にあります。世界中の淡水魚をこれほど体系的に広く集め比較しながら見せているのは国内外問わずほかにありません。それが世界淡水魚園水族館 アクア・トト ぎふなのです。たかが淡水魚とあなどることなかれ、なかなかお目にかかれない巨大魚や怪魚の類いが油断した来館者たちを驚かせてくれます。「こんな魚がいたのか」と、見れば見るほど面白い淡水魚の数々。運営母体の新江ノ島水族館で人気を博す多彩な熱帯魚や鯨類、海獣などのパフォーマンスにも決して劣ることのない最強のアネックスです。

蒲郡市竹島水族館

所在地 愛知県蒲郡市竹島町1-6
営業時間 9:00〜17:00　入館は閉館30分前まで
休館日 火曜日(祝日の場合は翌日休)、大晦日休、メンテナンス休

深海生物の多様性の粋(すい)を味わい尽くすならココ

タカアシガニやオオグソクムシなど、近年話題の深海生物。そんな珍しくて面白い生き物たちを所狭しと並び立てるのは竹島水族館。地元では「タケスイ」の愛称で親しまれる同館。深海生物の宝庫である遠州灘や熊野灘のおかげで日本一（同館調べ）を誇る深海生物の展示を実現しています。担当飼育係が手作りで日々アップデートする解説プレートは、館内はもちろんSNSでも大好評。さらに、誰もが一度は考える「これを食べたらどんな味なのか」を身をもって実証するなど、何よりそのアナログさが究極に人を惹きつけているのかもしれません。加茂水族館にも負けないサクセスストーリーを期待せざるをえません。

下関市立しものせき水族館 海響館

所在地 山口県下関市あるかぽーと6-1
営業時間 9:30〜17:30　入館は閉館30分前まで
休館日 年中無休

関門海峡を臨むペンギン村とフグコレクション

捕鯨でならした下関の街にある、市立しものせき水族館 海響館。世界的にも貴重なシロナガスクジラの全身骨格標本が完全な形で展示されており、そのスケールに圧倒されます。そして海響館といえば「ペンギン村」。自由自在に遊泳する姿や陸を歩く姿など、その愛らしい様子を間近で観察できる、ペンギンファンには至極の空間。飼育繁殖についても飼育係が南米で研修を行うなど、抜かりはありません。また、下関ならではということで、フグに軸足をしっかりと置いているところもポイント。「フグってこんなにたくさんの種類がいたのか」と感心すること間違いなし。このバランス感覚が来館者に愛され続ける何より重要な要素でしょう。

九十九島水族館海きらら

所在地 長崎県佐世保市鹿子前町1008
営業時間 9:00〜18:00(11〜2月は9:00〜17:00)　入館は閉館30分前まで
休館日 年中無休

美しくも多様な九十九島(くじゅうくしま)の環境が育む クラゲとカブトガニ

長崎県が誇る西海国立公園九十九島の海を再現した、九十九島水族館海きらら。国内では珍しい屋外型大水槽には自然光がふりそそぎ、訪れるたびに違う表情と美しい水色を堪能できます。九十九島の複雑な地形は非常に多様な生態系を育み、同館ではそこに生きる魅力的な生き物とたくさん遭遇できます。「生きた化石」のカブトガニは言わずもがな、国内から消え去りかけている珍しい生き物や、昨今人気のクラゲも多くの新種が発見、展示されています。これら地元の自然を活かしてさらなる進化を期待したいところ。

沖縄美ら海水族館

所在地 沖縄県国頭郡本部町石川424国営沖縄記念公園(海洋博公園)内
営業時間 8:30〜18:30　入館は閉館1時間前まで
※休館日、繁忙期の営業は公式HPをご確認ください

沖縄の青く美しい海を表現するのみならず、謎多き海洋生物への学術的なアプローチはさすが

圧倒的なスケールを誇るジンベエザメやマンタを含む、あたたかい黒潮の海で暮らす多様な沖縄の生き物たちに出会える同館。サンゴ礁に縁取られた島沖縄で、新鮮な海水の恩恵を受け大小美しい水槽の数々が来館者を魅了します。海洋汚染の影響を最も受けやすいとされるサンゴを生育しながら、さまざまな検証・研究を進め野生復帰を目指すなど、環境への取り組みも同館ならでは。また、沖縄の深海に生息する生物への積極的な調査と飼育に関して、その技術と実績は目を見張るものがあります。これからも文字通り“美ら海”の本質を追求し続けていってもらいたいですね。

第3章

動物園・水族館コンサルタントの仕事は予定通りに進まない

動物園や水族館をつくるときに大事なこと

仕事の流儀

動物園・水族館コンサルタントの仕事の始まり

あらためて、動物園・水族館コンサルタントの仕事がどのように始まり、どう進んでいくのかを説明しましょう。

すでにお付き合いのある動物園・水族館の場合は、顔を出した際などに「そういえば、今、こんな話が進んでいて……」などと相談をもちかけられて仕事が始まることが多いです。電話やメールで「ちょっと相談があるので来てもらっていいですか」と連絡がくることもありますし、これまでお付き合いのなかった園・館からメールで問い合わせをもらうこともあります。ちなみに、園から園へ人の移動（異動）があったタイミングで僕たちに声がかかることも多いです。移った先でさっそく展示を新設、リニューアルする、ということが起こりやすいからです。

打ち合わせは現地へ足を運んで

基本的に、打ち合わせは直接行うことにしています。コンセプトや方針を考えるにあたっては、現地の状況をしっかり見ることが非常に大切だからです。もちろん、プロジェクトが進み始めてからの細かなやりとりは電話やメールでも頻繁に行います。

日本では動物園・水族館コンサルタントという仕事はまだ珍しいというお話をしましたが、実際、仕事の割合でいうと日本が2割、海外が8割といったところです。ですので、打ち合わせのために現地へ向かうということは、ほぼ海外へ出かけることと同義です。

最初の打ち合わせは雑談レベルが大半です。まずは「どういうことをしたいのか」という話を聞き、規模感や予算感を確認します。どのような体制で進めようとしているのかという具体的な条件も聞きながら、情報の確度を把握します。

このような話し合いは、園・館長室や事務所で行うこともあれば、園・館内の敷地を回りながら行うことも多いです。実際に現地の様子を一緒に見ながらのほうがわかりやすいためです。つくづく、動物園・水族館コンサルタントの仕事は「現場ありき」だと感じます。

話し合いの参加者は、園長・館長、公営の施設の場合は市長、担当課の課長、私営の場合はスポンサー企業の担当者、あるいは地元の商工会議所の関係者など。海外の場合は、日本語でいうところの「学芸員」である「キュレーター」の立場の人が同席することもあります（キュレーターについては後で詳しく述べます）。僕らサイドは、僕とランゲ博士、そして一緒に仕事をすることの多い建築家やデザイナーなどが立ち会うこともあります。

コンペを通過したらプロジェクトがスタート

最初の打ち合わせを経て「ではこの予定でお願いします」と話が進み始めることもあれば、コンペが行われることもあります。僕たちと同じような役割の3～4チームと競うのです。相手はコンサルティング会社や建設業者などさまざまです。

本格的なコンペでは、準備に半年近くをかけることもあります。プロジェクトの規模にもよりますが、模型をつくったり設計デザインの図（パース）を何パターンも用意したりしてプレゼンテーションを行います。コンペになる割合は半分程度ですが、ありがたいことに、僕のチームのコンペの通過率はだいたい8割くらいです。

受注が決まると実際にプロジェクトが動き始めます。動物園・水族館を新設するような大掛かりなものもあれば、「古くなってきたから」「展示のパターンをガラッと変えたい」といった、部分的なリニューアルの依頼もあります。僕は動物園と水族館のどちらも手がけますが、手がける数でいうと水族館のほうが多いです。というのも、水族館は電気設備が不可欠な施設。10～20年程度で設備にガタがきやすく、そのタイミングでリニューアルを行うことが多いのです。

プロジェクトの過程には、コンセプトの提案、デザインと設計、実際の建築、生き物の導入のほかにも、人的な研修、採用事業、教育プログラム（職員向け、お客さん向け）の作成などソフト面の業務もあります。僕たちがどこまでを担当するかはケースバイケースです。コンセプトを考えるだけで実際の設計や建築は動物園・水族館サイドが別途依頼することもあれば、僕たちが一緒に仕事をしているデザイナーや設計士を巻き込んで進めることもあります。

ちなみに、海外では「全体のアイデアの提案をしてください」というゼロベースからの依頼も少なくありませんが、日本は公営のところが多いせいか、ある程度すでに決まったものが降りてくる形が多いのが特徴です。

ポジティブにネットワークをつくっていく

ちなみに、プロジェクトが必ず形になるとは限りません。実はこれまで、進み始めたプロジェクトの8割以上が中止しています。頓挫する理由は「トップの気が変わった」「予算がつかなくなった」「動物愛護団体から反対を受けた」「市民が賛成していない」など、いろいろなパターンがあります。最後までプロジェクトが進むのはせいぜい5〜20%くらいのものです。まあ、「そんなものだ」と考えているので、いちいちショックを受けることはありません。途中で流れてしまっても、それまで実働した分を請求させていただくので、たくさん働いたのに1円も得られない、なんてことはそんなには……ありません。

仮にプロジェクトが頓挫してしまっても、僕たちにとってすべてが無駄になるわけではありません。そのプロジェクトで素晴らしい仲間と出会えることもあれば、かかわった人を通じて別のプロジェクトの話が動き出すこともあります。そこで得られた知見が次回に活きることもあります。

僕とランゲ博士は目先のお金を目的に動いているわけではありません。プロジェクトが最後まで進行しようがしまいが「どんなときにも常にベストを尽くす」というのがランゲ博士の方針。僕も同感です。目の前の仕事を通じてポジティブにネットワークをつくっていくことが大事なのです。

動物園・水族館コンサルタントだからこそできることがある

まして、動物園・水族館コンサルタントはあくまで補助役であり、裏方です。動物園や水族館が完成を迎えると、建築家やデザインチームが褒められることはあってもコンサルタントが注目を浴びることはまずありません。施設がオープンする頃にはみんな僕たちの存在を忘れているからです。それでよいのです。

それでも僕たちは世界中にいい施設をつくることをこれからもお手伝いしたいと思っているし、貢献できることもたくさんあると思っています。たとえば、設計や建築に関して

「この通路では飼育係が食料を運ぶときに狭すぎます」「獣舎のこの部分には傾斜をつけておいたほうが掃除しやすいですよ」など、動物園・水族館コンサルタントだからこそ気づけることがたくさんあります。水族館に生き物を運び込むためのクレーンの耐加重強度を計算する際、生き物の体重のみで水を含めていないという建築士の致命的な（まさにです）ミスに気づくようなこともあります。

ほかにもあります。ナチュラル志向が流行りの最近では、建築素材にプラスチックや金属より木材を使いたいと希望する施設関係者も多いです。しかし、動物は気になるものを見つけるとひたすら舐めたり触ったりしがちです。耐久性や利便性、そして何より安全性といった面で、必ずしも木材のほうが安全とは限りません。

そういったことを総合的に判断し、人間と生き物双方にとってのベストを提案できるのが僕たちコンサルタントの強みであり、役割です。そのためにも、普段から生き物をよく見ること、現場の飼育係や施設関係者とコミュニケーションをとっておくことが非常に重要です。

見せたくても見せられないジレンマ

生き物は人間の思い通りにならない

ここまでご紹介したような流れでプロジェクトが進んでいくため、一つの案件にかかる期間や打ち合わせの回数などは「ケースバイケース」としか言いようがありません。しかも、生き物がかかわってくるため、予定通り進むことはほとんどありません。

ポルトガルの「リスボン水族館」を新設したときなどは、その最たる例です。このプロジェクトは僕が動物園・水族館コンサルタントになる前にランゲ博士のみでかかわったものですが、わかりやすい例なので紹介します。

1998年のリスボン万博の会場として建設する建物を、その後も活用できる施設にしたいという方針でリスボン水族館がつくられることになりました。その目玉の展示として白羽の矢が立ったのが、ラッコ。当時、ヨーロッパの水族館でラッコが見られるところはほぼありませんでした。そこでラッコを海外から輸入し、展示することを一つの目玉として話が進んでいったそうです。

万博の展示の目玉「ラッコ」の妊娠が発覚

しかし、プロジェクトが進むなかで想定外の出来事が起きました。オスとメスの1頭ずつを連れてきていたラッコのメスが、なんと妊娠していることがわかったのです。万が一、たくさんのお客さんの前で出産することになったら大変です。出産という非常事態に興奮したメスが育児を放棄してしまう可能性もあります。そもそも、無事に出産できるかどうかもわかりません。

ラッコの妊娠がわかり、展示計画の大前提が覆ってしまいました。展示の目玉ではありましたが、生き物の命が優先ということでラッコは公開しないことに決まりました。

その後、無事に出産が終わり、母子が健康な状態で安定してからラッコは公開されました。といっても、万博期間が終わった後ではありましたが。

ちなみに、この会場を設計したのは、アメリカの「ニューイングランド水族館」やアラビア半島にあるクウェートの「科学センター」（センター内に水族館があります）など、世界中の名だたる水族館を手がけてきた著名な建築家、ピーター・シュマイエフ氏。日本の大阪にある海遊館も設計しています。彼とランゲ博士はもう半世紀近い付き合いがあります。

生き物にトラブルはつきもの

リスボン水族館のラッコの件に限らず、動物園や水族館の仕事には生き物のトラブルがつきものです。たとえば、生き物を移動させる際には安全面で最大限の配慮をするのが通常です。しかし、悲しい話ではありますが、運搬中に暴れて傷を負い、それが原因で死んでしまうこともあれば、引っ越し先の環境に馴染めずに死んでしまうことも珍しくありません。「これなら絶対に大丈夫だろう」と整えた環境が、その個体にとってのベストとは限りません。カバも１００頭いれば１００通りの個性があります。新しい環境に馴染みづらいタイプの子もいれば、どんな環境でもハッピーに生きていけるタイプの子もいます。

「狭いより広いほうがいいだろう」「コンクリートより緑が多いほうがいいだろう」といった、ある種の人間の思い込みによって用意した環境が、その個体に合わないこともあるのです。同じ獣舎の中でも、奥の寝室をちょっと改修した途端に繁殖がうまくいかなくなることもあります。結局、その個体にとっての「正解」は本人にしかわからないのです。

仕事のヒントは「街」にある

このように、進行具合がまちまちで、しかもトラブルがつきものの仕事ですので、一度海外へ行くと2〜3週間は滞在しっぱなしです。その間、毎日のように打ち合わせをしていることもありますが、1回の訪問につき2〜3日の打ち合わせで済むことも多いです。

では残りの日は何をしているかというと、街のあちこちを見て回っています。近隣の動物園、水族館や、博物館、美術館など、その地域を代表する建造物や施設などがあれば必ず訪れるようにしています。余裕があれば古書店や蚤の市などに足を運ぶこともあります。というのも、高知を語るのに坂本龍馬を知らないわけにはいかないように、「ここはあの偉人の出身地で、この街といえばあの人なんだな」とか、「この街はこのお城ありきなんだな」といった、その街の歴史や文化、住む人の特徴や思想などを知りたいからです。

その土地の歴史や背景を示す風土記となるような書物や民芸品、絵などはなるべく入手するようにしています。学問や研究においても最初の一歩はコレクションをすることです。集めて、見て、比較する。その街の風土と人のありようを知ることが動物園・水族館のコンセプトを考えるうえで非常に役に立ちます。でなければ、どこで何をつくっても同じ施設ができてしまうことになります。

ちなみに、近隣の動物園・水族館を訪れる際は、かかわっている施設の人に顔をつないでもらい、単なる「ビジター」ではなくなるべく「関係者」として入るようにしています。朝一で訪れて会うべき人に会い、案内してもらいながら敷地を回り、ランチをご一緒した後は夕方まで自由に視察させてもらい、最後に挨拶をして失礼をする。これが定番の訪問パターンです。表の展示エリア以外のバックヤードも見せてもらえるので、ビジターとして訪れるよりも何倍も充実した時間になります。

「はじめに」の冒頭で、僕に「○○動物園に知り合いがいたら紹介してください」と連絡がくるとお伝えしたのにも、実はこういったわけがあるのです。僕も人に「紹介してください」と頼むこともあれば、自分が誰かを知り合いに紹介することもあります。

「コンセプト」が命

動物園・水族館コンサルタントの仕事の肝

僕のコンサルタント業で一番重要なポイントは「コンセプトをつくる」ところです。コンセプトをつくるというのは、動物園・水族館をつくるうえで「どんなストーリーを描くか」ということ。この施設がこの街でどのような役割を果たすものになるのか。この施設をベースにこの街がこの先どんなふうに発展していくのか。そういったストーリーをつくるのが僕たちの仕事です。

当然、施設ごとにコンセプトは変わってきます。僕たちの仕事は単なる「copy（模倣）」でもなければ「transfer（転送）」でもなく「translate（翻訳）」。自然界にある重要なエッセンスを、それぞれの国・街・地域に合った形で施設ごとにアレンジして提案します。

次に、そのストーリーを体現していくための〝演者〟としてどの生き物に登場してもらうか、その施設で今後どんなプロジェクトに取り組んでいくのか、といったことを具体的に考えます。特に、今の時代に大事になってくるのは生き物のウェルビーイング。その施設の動物たちがより自然な状態で幸せに生きていける環境を整えます。

さらに、最も大切なのは「つくったコンセプトをぶれさせない」ことです。せっかく考えたことも継続できなければ意

パリ自然史博物館にて。最愛の鳥、ドードー(絶滅種)

味がありません。トップに立つ人間が代わるたびにコンセプトがぶれるようではサステナビリティ（持続可能性）を実現できません。その施設の責任者や権限をもつ人に対し、「この動物園・水族館はこういうコンセプトでやっていきますよ、忘れずに大事に守っていきましょうね」としっかり伝え、理解してもらうことも僕たちの大事な仕事の一つです。

目指すのは「より自然」な展示

もちろん、コンセプトを語る際に「いいね」「へえ、面白そうだね」と言ってもらえるよう、ある程度の夢を語ることも重要です。「世界初」「日本初」といったキャッチーな要素を入れたほうが、ウケがよいのは事実です。しかし、それが最優先ではありません。とにかく「新しいこと」や「これまで行われていないこと」を盛り込めばいいというわけではないと考えています。

独自のコンセプトをきちんと表現できているか、それを外部に対して公言できる体制が整えられているか。動物園・水族館として社会に対する役割を果たせるのか、そしてそれを継続できる状態が整っているのか。それらのほうがよほど重要だと思います。

展示の方向性も、エンターテイン（楽しませる）第一というよりは本来の自然の環境に近づけることを僕たちは目指しています。生き物にとって自然な環境を整えることで、その生き物たちが真価を発揮するからです。彼らの本能的な部分を引き出してあげることで繁殖能力が高まれば、その展示や、ひいては施設自体を維持し続けることにもつながります。逆にいえば、そうでなければ維持し続けられない時代がきています。

「街の風土を展示に反映する」とは

また、繰り返しになりますが、コンセプトを考える際には街の背景をふまえることも欠かせません。

たとえば、ある時代はドイツ、またあるときにはオーストリア、さらにはイタリアの統治下に置かれてきたこともある街に水族館をつくる話がありました。その街のレストランで出てくる料理には、ドイツ料理のなんともいえないごついボリューム感がありながら、イタリア料理のクリエイティブな感じがあり、さらにはオーストリアの格式高い雰囲気がありました。街の歴史的な背景が反映されていたその料理からヒントをもらい、「三国の歴史がミックスされているのがこの街なんだな。展示や水槽にも、それをうまく反映できないかな」と想像を膨らませました。このように、街の文化や雰囲気から展示のアイデアをもらうことはよくあります。

ひとくちに「地中海をテーマにした展示や水槽をつくる」といっても、たとえばドイツ人にとっての地中海のイメージは「リゾート」「あたたかくて優雅」「憧れ」などですが、イタリア人にとっては「日常」にすぎません。魚や水槽一つとっても、見る人の立場によって捉え方はまったく異なります。訪れる人にそういったことが伝わるような展示ができたらいいよね、とランゲ博士と話しながらコンセプトを練り上げていくのです。

こんなに違う、海外と日本

運営母体が違うとお財布事情も変わってくる

世界中の動物園・水族館をめぐっていると、日本との違いがよく見えてきます。みなさんが海外の動物園・水族館をたくさんめぐる機会はそうそうないはずですので、どんなところが違うのか、いくつか紹介しておきましょう。

まず、一番大きく違うのは運営母体です。日本は、県、市といった自治体が運営している動物園や水族館が多いです。一方、海外では企業が経営する施設のほうが多いです。

この差は経営の方針やお財布事情にかかわってきます。公営の施設は、赤字が出たとしても簡単につぶれることはありません。税金で運営されているからです。「年間入園者数目標」といった大まかな目標設定は行われますが、絶対的なノルマというわけではありません。目標人数を達成できなくても厳しいペナルティーがあるわけではないのです。

一方、私営の園・館の運営はシビアです。入場者数が収入に直結しますから、いかに多くの人に来てもらうかが経営に大きく影響します。したがって集客や宣伝といったことへも力を入れているところが多いです。「餌やり体験で○○円」「動物と一緒に記念撮影して△△円」「ここでしか買えない限定グッズで□□円」など、課金のタイミングをちょこちょことつくり出し、なんとか収入を増やす努力も欠かせません。年間いくらという形で施設にお金を払った人が特別プログラムなどを体験できる「サポーター制度」を用意している施設もあります。このような工夫は日本も海外も共通しています。

ちなみに、ショップやレストランといったサービスにそこまで力を入れないところも多かった日本の公営の施設ですが、「併設されているレストランの食事があまりにも不味い」という苦情が市に寄せられ、フランチャイズのハンバーガーショップが入ることになったというとある市立動物園の例もあります。税金で賄われているからこそ、市民の声が施設の内容や品質に反映されやすいということはいえそうです。

「一点集中型」の海外、「盛り込み型」の日本

もう一つ、大きく違うのは飼育動物のラインアップです。

日本ではどの動物園に行っても、見られる生き物にそこまで大きな差がありません。動物園の「三種の神器、五種の神器」といった言われ方をすることもありますが、たとえばゾウ、キリン、ライオン、ゴリラ、カバなどはどの園でも「必須」と考えられがちです。

しかし、海外ではそのようなことはありません。今挙げたような動物は動物園の典型でわかりやすいため、たしかに海外でも人気はあります。とはいえ、海外では「じゃあ、うちはゴリラでいこう」「うちはカバに力を入れます」といった具合に、アピールポイントを絞る傾向があります。そのあたりの選択の仕方には思い切りのよさを感じます。例を挙げると、イングランドにある「トワイクロス動物園」には霊長類専門の施設があり、ありとあらゆる種類のサルが集められています。ドイツのシュトラルズントという都市にある水族館「オツェアノイム」は同館の面する北大西洋に生息する生き物にフォーカスした展示が最大のキモです。

ちなみに、日本でも、クラゲ専門の加茂水族館やサケをウリにした千歳水族館など、専門性を高めた水族館が存在しています。各施設がスペシャリティ（特長）を磨いて他と差別化を図るというのはまったくもってナチュラルな発想なのです。

なお、特定の生き物がこの国では人気、といった国ごとの偏りみたいなものはあまりないように思います。ただ、ホッキョクグマやジャイアントパンダといったわかりやすく有名な生き物は、やはり世界的に人気があるのも事実ですね。

ゾウとマナティーを並べて展示、そのこころは？

展示の仕方は時代によって傾向が変わりやすいですが、日本では外見の似た動物を並べる「比較展示」がよく見られてきました。アフリカゾウとアジアゾウを一緒に飼うというようなことです（この2種類をそろえられる動物園もそうそう存在しなくなってはきましたが）。

海外では、同じ比較展示でも、外見ではなく分類学で解説するケースが多く見られてきました。たとえばジュゴンやマナティーは、実はゾウと同じ祖先をもつ生き物。和名をイワダヌキという、耳を小さくしたウサギのような生き物ハイラックスも同様です。そこで、海外ではゾウとマナティー、ハイラックスを並べて展示飼育しているところが以前はよくありました。

しかし、このような展示の仕方自体がもはや時代遅れになりつつあります。見た目が似ている、あるいは分類学で同じ仲間だったとしても、その性質や生息環境はまったく異なることがほとんどだからです。ウェルビーイングの観点が重視される現代では、生息環境自体も展示の一環として含める傾向が世界的な潮流です。

ちなみに、補足しておくと、展示の仕方には国土の差も大きく関係します。海外の動物園・水族館は広大な敷地に建設されることが多く、ゆったりしたスペースで生き物を飼育することができます。日本は国土が狭いにもかかわらず「あれもこれも」と盛り込みたがる傾向があり、飼育スペースは常に動物園・水族館関係者の頭を悩ませる問題です。

海外の「キュレーター」、日本の「専門員」

動物園・水族館を支えるメンバーも、海外と日本では少し違うところがあります。

園長・館長、獣医師、飼育係のほかに、海外の動物園・水族館で欠かせないメンバーに

「キュレーター」がいます。日本語でいう「学芸員」の資格をもつキュレーターは、「生き物をどのようなコンセプトやテーマで展示するか」を計画するのが仕事です。日本では園長・館長や飼育係が展示計画を考えるのが一般的ですが、海外ではキュレーターが然（しか）るべき専門知識と経験をもとに責任とプライドをもって担当しています。日本の動物園・水族館でも学芸員の肩書きをもつ人はいますが、実際に「展示を専門で担当している」という人に会ったことはありません。この点は海外と日本の大きな違いといえそうです。

また、最近の日本の施設では「専門員」や「動物解説員」といった肩書きの人を置く傾向があります。学芸員の資格をもっている人が任命されることもあれば、そうでないこともあるようです。広報的なことをしているケースや、来園者へ向けた解説プログラムを考えたりガイドをしたりするケース、なかにはＳＮＳやＹｏｕＴｕｂｅ運用を任されているケースもあるなど、その役割はさまざまなようです。それも悪くはありませんが、常に現場でてんてこまいしている飼育係の人員を補充したりケアしたりすることも大事なのではないか……と思うこともあります。日本では学芸員をやゆして「雑芸員」などと呼ぶこともありますが、海外ではこのような何でも屋さんのような役割の人にはあまり会ったことはありません。

動物園・水族館大国、日本

日本全国にコピーされていった上野動物園

日本は世界でも有数の動物園・水族館大国だといわれます。日本では一つの自治体に少なくとも一つは動物園・水族館に類する何らかの施設があるのは珍しくありませんが、海外ではそんなことはありません。ここまで動物園・水族館が多いのは、世界的にも珍しいことなのです。海外では新たに動物園・水族館をつくる案件もありますが、すでに飽和状態の日本ではリニューアルの依頼がほとんどです。

日本で動物園が増えていったのは、1882（明治15）年に日本で初めてつくられた動物園、上野動物園が大人気を博したことがきっかけです。もとは1873年に行われたウィーン万博に出品するために日本中から集めていた動物を万博後にもち帰り、現在の内幸町（東京都千代田区）にある帝国ホテルのあたりで開館した博物館（現・東京国立博物館）と付属の飼育場で飼育展示していたのが始まりです。それを上野公園へ移設、拡充されたのが上野動物園でした。

今でも上野動物園は日本一の年間入園者数を誇りますが、開園間もない頃から何十万もの来園者を集め、1907（明治40）年には年間入園者数が100万人を超えたといいますから驚いてしまいます。当時の人口は現在の3分の1程度。しかも、現在のように交通網も発達していません。どれほど上野動物園が日本で大流行したのか、推して知るべしといったところです。

このような上野動物園人気を背景に、あちこちの都市で「じゃあうちも動物園をつくろう」「じゃあうちも」と、続々と動物園がオープンしていきました。2度の大戦を経た後は、平和の象徴として、さらに全国でたくさんの動物園がつくられました。インドからはゾウが、中国からはパンダがやってくるといったように、動物園の動物は国と国をつなぐ「動物親善大使」としての役割も果たしていたのです。

コンセプト自体がないところも

日本の動物園で飼育されている生き物のラインアップがよく似ているのは、大流行した上野動物園の真似をしてつくられたからです。少し嫌な言い方ですが、「右へならえ」的な傾向によって日本中に増えていった動物園には、明確なコンセプトをもっていないところが数多くあります。本当は、そこが一番大事なのですけどね。

いまだに、「旭山動物園のホッキョクグマの展示みたいなものをうちにもつくりたいから、あそこをつくった業者と、似たようなものをつくった業者に見積もりを出してもらいたい」といったケースやご依頼は非常に多いです。これも国民性かもしれません。

このような園・館からリニューアルをするためのコンサルティング依頼がくると、「そもそものコンセプト」を思い出したり、新たに考えたりするところから取り組むことになります。

つくればいいというものでもない

計画当初の予算が途中で削減されてしまうことも、ときにはあります。そのような場合、日本では「減らされた予算なりのものでつくる」という考え方が一般的です。しかし、適切な予算がなければ思うようなものはつくれません。予算が足りないという理由で最初に設定したコンセプトと違うものになってしまったり歪められたりしてしまうくらいなら、やらないほうがいいのではと感じることもあります。

また、方向性の違いから、残念ながら仕事が成立しないこともあります。

ある動物園で、インバウンド向けにリニューアルしたいという相談を受けていたことがありました。海外からやってくる観光客に的を絞った経営をしていきたいというのです。僕は、「動物園を長くやっていくうえでは、地元の市民を大事にしなければいけない」という話をしました。インバウンド需要を否定はしませんが、まずは足元を固めることが優先だと考えているからです。しかし、この動物園はどうしてもインバウンド優先のリニューアルを行いたいと譲りませんでした。僕の考え方とあまりに方向性が違うため、このままお手伝いしていてもうまくいかないと感じました。残念ではありましたが、プロジェクトからは降ろしてもらうことになりました。

その数年後、新型コロナウイルス感染症が大流行。インバウンドどころではありません。この動物園がどうなったかは想像に難くないでしょう。

かくのごとく、地域に根ざしたコンセプトをしっかり設定して足元を固めることは非常に重要なのです。

海外の例ではありますが、地元のニーズを満たした結果、世界的にも大人気の動物園へ生まれ変わったケースもあります。ドイツ最古の動物園の一つ、「ハノ

ハノーヴァー動物園のホッキョクグマ

ーヴァー動物園」です。もともとは偶蹄類ウシ科のカモシカや、ガゼル、エランドなどのアンテロープ（鯨偶蹄目ウシ科のうち、ウシ類、カモシカ類、ヤギ類、ヒツジ類を除いたものの総称・レイヨウとも）と呼ばれる生き物たちを数多くコレクションしている動物園でした。しかし、ハノーヴァーといえば農業もさかんな街。「世界的なアンテロープコレクション」と主張したところで、地元の農家のみなさんにとっては自分たちの農場で世話をしているのと似たウシみたいな動物ばかりで、面白味がなかったようです。

そこで同園は2014年に大リニューアル。自慢のアンテロープコレクションをある程度は残しつつも、世界中を旅した気分を味わえるような雰囲気と動物のラインアップを目指し、非常に大掛かりなテコ入れを行いました。今では「ヨーロッパ最高の動物園」と評されるほどの大人気の動物園に生まれ変わっています。

僕とランゲ博士もこのリニューアルに一部かかわったわけですが、「この地域ではどのようなものが求められているのか」をしっかりとふまえ、そこに時代性やサステナビリティを加味することで、愛される施設になれるという典型的な事例でした。

ベルリン動物園〔ドイツ〕

所在地 Hardenbergplatz 8, 10787 Berlin
営業時間 9:00〜18:30(季節により異なる)　入園は閉園1時間前まで
休園日 年中無休

田井基文最愛の動物園

ドイツ最古の動物園といえば、そう、ベルリン動物園。僕のビジネスパートナー・ランゲ博士がCEOを務めていたことも本編で紹介しましたね。僕をこの世界に沼らせたきっかけは紛れもなく同園です。園内のありとあらゆるもののデザイン、飼育種数、建築、歴史、そしてまた外の世界への情報発信力まで、あらゆる面で期待を超えてくる、僕にとっては世界最高の動物園です。園内に併設する「ベルリン水族館」、東ベルリンに位置する「ティアパーク・ベルリン」まで含めれば、もはや死角はなし（この3施設は運営母体が同じ)。“ベルリン詣(もうで)”で、動物園ファンの読者のみなさんの運命も変わるかも?

シンガポール動物園〔シンガポール〕

所在地 80 Mandai Lake Road, Singapore 729826
営業時間 8:30〜18:00　入園は閉園1時間前まで
休園日 年中無休

アジアNo.1の座は譲らず。大改編のプロジェクトが進行中

シンガポールのマンダイ地区にあることから、地元では「マンダイズー」と呼ばれることもあるシンガポール動物園。広大な敷地と、人と動物を隔てる柵が目立たないオープンな雰囲気を武器に、アジアNo.1（大手旅行サイトほか）の名をほしいままにしてきた同園。現在、動物園、ナイトサファリ、リバーサファリに加えて、これまで少し離れたところにあったジュロン地区のバードパークまでをマンダイに統合した巨大で広大な施設として大改編するプロジェクトが進行中。世界的な飼育基準や方針にのっとって、種数は絞りつつ、より環境に合った形で展示が繰り広げられていくことはアジアの各園にとってよきモデルケースとなりそうです。

サンディエゴ動物園〔アメリカ〕

所在地 2920 Zoo Dr, San Diego, CA 92101
営業時間 9:00〜21:00(季節により異なる)　入園は閉園30分前まで
休園日 年中無休

西海岸を代表するアメリカ最高の動物園

動物園というよりはもはやテーマパーク、という声にもうなずけるサンディエゴ動物園は、世界最大級のスケールで来園者を圧倒します。まさに「ザッツアメリカ」といった風情と迫力。博物館、美術館、植物園、サイエンスセンターなどが複合的に立地する都会のオアシス・バルボアパークの中にある同園。カリフォルニアらしい温暖な気候のなかで、より自然に飼育される素晴らしいコレクションにあふれています。巡回バス、ツアーバス、ゴンドラなど園内の移動手段も豊富。たっぷり1日、いえ2日、3日かけるつもりで訪れて、少し離れたところにあるサファリもぜひ忘れずにお楽しみくださいませ。

ヴィルヘルマ〔ドイツ〕

所在地 Wilhelma 13, 70376 Stuttgart
営業時間 8:15〜20:00(季節により異なる)
休園日 年中無休

「動物園と植物園の調和」を目指すうえでこれ以上のモデルなし

「動植物園」を名乗る施設は国内外問わずたくさんあります。しかしヴィルヘルマほどその真髄を極めた存在はほかにないでしょう。ドイツ皇帝のヴィルヘルム1世が夏の離宮として過ごした美しい緑地が、今や動物園と植物園の見事なマリアージュを堪能できる場所に。数千種の植物に囲まれたエリアをのんびり散歩するもよし、動物とのわくわくする出会いを楽しむもよし。なかでも特筆に値すべき進化を遂げている類人猿舎はお見逃しなく。動物園大国たるドイツの底力と、皇帝のサマーパレスの伝統的な建築の魅力をとくと感じてください。

アルペン動物園〔オーストリア〕

所在地 Weiherburggasse 37a, 6020 Innsbruck
営業時間 9:00〜18:00(冬季9:00〜17:00)
休園日 年中無休

地元固有種のみで構成。
オーストリアが誇るチロルの動物園

ゾウもキリンもゴリラもカバもいない動物園。そんな動物園はつまらないと思いますか？　アルペン動物園が飼育展示、そして保全している動物はカワウソにオオカミ、ヒグマにイノシシといった地元のアルプスに生息する生き物ばかり。オーストリアとイタリアにまたがるアルプス山脈東部、チロル地域にある同園では、貴重な高山植物や鳥類、淡水魚まで、オールローカルで構成することを徹底。チロルの文化と歴史、そして自然への敬意がなければ成立しない素晴らしいスタンスです。日本の動物園ではちょっとお目にかかれない珍しい生き物ばかりがそろうのも、ローカルだからこその魅力です。

ボーバル動物園〔フランス〕

所在地 Av. du Blanc, 41110 St Aignan
営業時間 9:00〜20:00(冬季9:00〜17:30)　入園は閉園30分前まで
休園日 年中無休

フランスの誇る、欧州最大級の大型動物園

フランス中部の都市、サンテニャンにあるボーバル動物園。フランスで唯一ジャイアントパンダたちに会うことができるため、パリからはあまりアクセスのよくない現地まで足を運ぶファンも多数。「どうしてもパンダが見たい」という気持ち、日本人のみなさんならよくわかるかもしれませんね。なお、「パリから遠いから日帰りじゃもったいない!」という方は、ぜひ併設のホテルをご利用ください。中国、インドネシア、アフリカ、メキシコ、ベトナムという5つのテーマに沿ってつくられたそれぞれの建築コンセプトは、旅の気分を盛り上げるとともに、その生息地の動物たちへの愛着を一段と深めてくれること間違いなし。

第4章

舞台裏での奔走劇

生き物を支える人々と裏側の話

「いい動物園・水族館」の条件

キュレーターの仕事

日本と海外の動物園・水族館の違いの一つとして、海外では「キュレーター」と呼ばれる人たちが活躍していると第3章でお伝えしました。もう少し詳しく紹介しておきたいと思います。

日本語でいう「学芸員」の資格をもつキュレーター。動物園や水族館で働くその人たちの経歴や専門性はさまざまです。アートを学んできた人もいれば、地質学や生物学、文化人類学をやってきた人もいます。自然史博物館で学んでキュレーターになった人が動物園・水族館に転職して、博物学の見地を活かした展示をつくることもあります。言ってみれば、さまざまな見識をもつキュレーターが動物園・水族館で働くことで、多様な価値観や知見が現場にもち込まれるのです。日本と比べてオープンな雰囲気があるのも、これが理由の一つかもしれません。

展示がうまくいくかどうかはキュレーター本人の今後のキャリアに影響します。だからこそ彼らは一つひとつの展示に対してものすごく真剣に取り組みます。目の前の展示だけでなく、施設全体としての10年先を考えながら計画を立てるのが彼らの仕事。当然、責任も伴います。もちろん、それだけの力量がなければキュレーターとしてやっていけません。

動物園・水族館コンサルタントとして、お金の面では経営を担う園長・館長（海外では「ディレクター」と呼びます）と話し合うことが多いですが、展示に関して一番発言力があるのはキュレーターです。「動物園・水族館自体のコンセプト」と「個々の展示」とは紐づいている部分も多いため、僕とキュレーターとで丁寧に意見をすり合わせながら話を進めていきます。

とはいえ、海外の場合、地元の住民の意見が動物園・水族館の方向性を左右することも珍しくありません。スイスは特にそれが顕著な国で、新しい水族館をつくろうとしたとき、市民投票で否決されてしまい建物の設計デザインまでほぼ完成していたプロジェクトが土壇場で流れてしまったこともあります。

オープンな雰囲気が「また行きたい」の声を生む

もう一人、海外の動物園・水族館で重要な役割を果たしている人がいます。それが「広報」です。

優秀な広報がいるところはいい動物園・水族館です。というのも、どれだけ素晴らしい施設でも、それを対外的に発信することができなければその価値を認めてもらうことは難しいからです。

僕が海外の施設を訪れた際にも広報の人と話をする機会がよくありますが、彼らはまず「うちの園・館に来てくれてありがとう」という感謝とリスペクトの気持ちを惜しみなく伝えてくれます。そして、訪問してくれたからにはそれだけの成果をしっかりもち帰ってもらおうということで、表はもちろん裏も含めたさまざまな情報を提供するなどあらゆる協力を惜しみません。このような積極的で十分な案内とアシストを受けるとつい「また来よう」と思うのが人間です。つまり、広報職にとっては、来訪者やメディア関係者に対していかにオープンな雰囲気をつくれるかが大事なのです。

優秀なスポークスマンのいる動物園・水族館は人気が出やすい

優れた動物園・水族館には優れた広報がいます。もちろん、園長・館長、獣医師、飼育係、キュレーターなど、どのポジションも区別なく重要なのは大前提です。しかし、特にこれからの日本の動物園・水族館では、広報とその発信におけるクリエーティブ・デザインに重きを置くことが非常に重要になってくると僕は考えます。

今も昔も、動物園・水族館は世間からの誤解を招きやすい施設の代表格です。自らの意思を言葉で主張できない生き物たちの命を扱うのですから当然です。第5章で触れますが、「動物園・水族館はそもそも必要な存在なのか」と問われたときに、きちんと主張できるだけの存在意義がなければ「じゃあ、もう、なくてもいいよね」と社会から結論づけられかねないのです。

コンセプトや存在意義自体を明確にもっていることが大前提ではありますが、それを外部に対してきちんと説明できる能力をもった人間がいるのといないのとでも大違いです。海外ではその役割を果たすのが広報の人間ですが、日本の動物園・水族館ではその役職にある人が本来の役割をきちんと果たせているかというと、苦戦している園・館も多いというのが現実かもしれません。いくら魅力や新鮮な情報があっても広報がうまく機能しなければ、発信する機会損失が多くなります。広告の力に頼らず、限られた予算のなかで目に見えない経済効果を、しかもそれを桁違いに生み出すことができるのが広報なのです。しかし、情報をうまく広く集約・発信するのが広報の役割ですから、施設内外の関係各者と渡り合う器量がなければ成立しないのが難しいところです。

とはいえ、たとえば北海道の「旭山動物園」のように、園長が先頭に立って積極的に外部へアピールしているところもあります。同園の坂東元園長は自分のポリシーをしっかりもち、それを業界内はもちろん行政と市民に対してもしっかり表明し、行動する人です。前園長の小菅正夫さんもそうでしたが、動物園における信念や進むべき道、そして本人のキャリアのなかで成し遂げたいことに対して非常に熱くひたむきな思いをもっています。

旭山動物園の理念は「伝えるのは、命」。単に「美しい、可愛い」だけではない、動物園で繰り広げられる命の営みを正しく伝えようという同園の姿勢は、ブレることがありません。このような、理念に恥じない広報戦略も旭山動物園の人気の秘訣でしょう。このブレない姿勢と積極的な情報発信こそが、よりコアなファンを同園に集めているのです。

他国からは理解されにくい特有の事情

広報や情報発信といえば、大きな痛手とともにその重要性を痛感した出来事があります。2015年頃、日本の水族館におけるイルカ飼育の実態とその背景が世界的に問題視されたことがありました。野生からの捕獲を優先し繁殖に力を入れていないこと、そして、その捕獲の方法である「追い込み漁」も問題視されました。追い込み漁とは、船と網でイルカを入江や浜辺に追い込み捕獲する方法です。和歌山県の大地町(たいじちょう)をはじめ、日本で伝統的に行われてきた漁法であり、それは今なお国が認める一つの文化ともいえます。

アニマルウェルフェアや野生動物の保護に力を入れる世界のスタンダードに合わせるべき部分もありますが、日本の食事情や歴史、文化的な面を考えれば、この問題は全面的に否定されるべきこととはいえないと僕は思います。大事なのは、文化や宗教、歴史的な背景をふまえつつ、世界的な業界の方針とどのように足並みをそろえていくかです。

しかし、そのような事情を世界に向けてきちんと十分に発信できなかったこともあり、日本動物園水族館協会（ＪＡＺＡ）は世界動物園水族館協会（ＷＡＺＡ）から一方的に会員資格を停止されたことがありました。ＷＡＺＡはＪＡＺＡの上位概念のようなもので、加盟している世界中の動物園・水族館や関連協会をつないでいる組織です。このイルカ問題でＪＡＺＡが受けた資格停止は幸いにも一時的なもので、ＷＡＺＡの方針に従うと表明したことで、まもなく会員資格停止は解除されました。しかし、イルカ漁によるイルカ入手の続行を決断した日本の一部の施設はＪＡＺＡを退会するという結果に至りました。

この顛末(てんまつ)を受け、日本の動物園・水族館業界は世界への対外的な説明力や交渉力をもっと高める必要があると、僕を含め業界関係者は痛感しました。ＷＡＺＡの方針を単にそのままインストールするだけでは何の意味もないでしょうし、現実的にそれはできません。日本の動物園・水族館が今後どこを目指して尽力していくのか、ＷＡＺＡをはじめとした世界各地の園・館とどう協力し渡り合っていくのか、国民市民にとってどういう施設でありたいのか、そういったことを国内・国外問わず、外部へしっかり表明することの重要性を自覚する必要がありそうです。

長靴を履いて、腰に鍵束、手にはデッキブラシを

飼育係は生き物の守護者

「園長・館長」「キュレーター」「広報」など、動物園・水族館で働く人たちにもいろいろな役割の人がいますが、みなさんにとって最も印象が強いのは「飼育係」の人たちかもしれません。海外では「キーパー」と呼ばれています。

飼育係の「三種の神器」にそって、彼らの役割と仕事について紹介しましょう。その三種の神器とは「長靴」「鍵」「デッキブラシ」です。これらは、飼育係の仕事における重要なことと密接に関係しています。

長靴……園・館内で長靴に履き替えることは、汚れや菌などを外からもち込まない・もち出さないことを意味します。これは生き物の健康と命を守ることにつながります。人間から動物へ、細菌やウイルスの二次感染が発生することもあるからです。

鍵……万が一にも生き物が逃げ出さないよう獣舎に鍵をかけることは、飼育動物を管理するうえで最も重要な作業です。

デッキブラシ……獣舎を掃除するために使います。清潔な環境を整え、生き物の健康と命を守るのです。

ほかにも、餌の用意、給餌(きゅうじ)、展示づくり、獣舎や水槽のメンテナンス、生き物の健康管理など、たくさんの仕事があります。生き物を相手にする仕事なので、人間の意図や予定通りに進まないこともしょっちゅうです。毎日、大忙しです。

また、優れた飼育係ほど勉強、研究熱心です。自分が担当する生き物がどのように生きているのか野生下へ観察に行ったり、展示手法や飼育管理についてほかの動物園・水族館へ視察に行ったりしています。関係する本や論文を読んだり、学会の発表を聞きに行ったりすることも非常に勉強になるようです。

勉強したからといって、そのぶん時間外手当が支給されたりすぐに給料がアップしたりすることはないかもしれません。しかし、よい飼育をするためには研究熱心であることも重要な要素だと考えます。時間外労働を推奨するわけではありませんが、担当する生き物への興味や探究心、好奇心や向上心をもっている人、それが「よい飼育係」の条件です。

なお、長靴、鍵、デッキブラシの三種に加え、最近では「スマートフォン」も欠かせないアイテムになっています。スマートフォンの技術革新とSNSメディアの進化により、全国民が写真家であり発信者になりえる昨今。多くの動物園・水族館では発信コンテンツを飼育の現場に頼ることがしばしばあるため、得意、不得意を問わず、写真や動画を撮影するのは飼育係たちにとってもはや日常の一部なのです。もちろん、餌の量や内容、糞の状態、投薬といった飼育のメモや記録のためにもこういったツールが役立つことは言うまでもありません。

飼育係は生き物の命を最前線で守っている

生き物はみなさんの想像以上に簡単に死んでしまう場合があります。環境の変化に耐えられなかったりストレスを受けたりすれば、体調に如実に影響します。隣の水槽に移しただけで死んでしまったり、斜め向こうの獣舎に移動させただけで死んでしまったりすることもあります。離れた工事現場からかすかに漏れ聞こえる音にストレスを溜めて食欲がなくなってしまうことも。人が想像する以上に繊細な種や個体は存在するのです。

獰猛で強そうな印象のワニも、イメージとは裏腹に極めて繊細な生き物。あんなにストレスに弱い生き物はいないといっていいほど「ワニの急死」は非常によく起こります。しかし、実はそれも野生のワニの様子をよく見ていればうなずける話。野生のワニは沼や川の中に体の大部分をうずめ、目だけを水面上に出して周囲の様子をうかがっています。人が少しでも近づこうものならサッと水に潜ってしまいます。それほど臆病な生き物なのです。そのような性質を知っていれば、ワニがちょっとした環境の変化でも大きなストレスを受けることは簡単に想像がつくでしょう。また、結果的に大型類人猿の飼育係には小柄な男性か女性が定着しやすいのも、そういったことが関係しているのかもしれません。

このようなことからも、一番近くで毎日世話をしている飼育係こそ生き物の命を握っている存在といえます。毎日丁寧な観察を欠かさず、少しでも異常があればすぐに対応する。小さな変化を見逃さない観察力と判断力も、飼育係には欠かせないスキルです。

会いに行きたくなる名キーパーたち

世界中で活躍するスーパー飼育係

どの動物園・水族館にも「ここに来たらあの人に会いたいな」と思うような素晴らしい飼育係がいます。たとえば、次のような人たちです。

ベルリン動物園（ドイツ） トーマス・レンツナーさん

ベルリン動物園の名飼育係といえば、トーマス。彼は僕の親友でもあります。鳥のプロフェッショナルで、彼の手にかかれば繁殖できない鳥はいないといってよいほど。果物のキウイの名前の由来となった鳥「キーウィ」や、鋭い爪をもち「世界一危険な鳥」としてギネスブックにも認定された「ヒクイドリ」など、繁殖が難しいとされてきた数多くの鳥の繁殖実績をもつとともに、種類はもちろんその多様性において世界最高といえる同園の鳥類コレクションを長年にわたり飼育管理しています。

実は、鳥の繁殖はとても難しいのです。みなさんもご存知の通り、鳥は卵から生まれますが、同じく卵生の爬虫類や両生類とは雰囲気がずいぶん違いますよね。どこか哺乳類的なところもあるように見えます。しかし、約６０００種の哺乳類に対し鳥類は約１万種存在することからも、哺乳類より複雑に細分化していることがわかります。

その多様性に対してどこまで柔軟に対応できるかが、飼育係の腕の見せ所でもあります。孵化にふさわしい温度や日数は種類ごとに微妙に違いますし、繁殖のためには餌はもちろん巣箱、巣材などさまざまな工夫が必要だといいます。

哺乳類は目を見ればコンディションがなんとなくわかることもありますが、鳥はなかなかそうもいきません。そんな〝読めない〟鳥の状態を正確に把握できる彼を見ると、鳥語がわかるのではないかと思ってしまいます。飼育係長として鳥以外の動物の飼育も統括する立場ではありますが、ベルリン動物園の歴史と伝統ある鳥の飼育展示舎「Fasanarie（フアザナリィ)」こそが彼の聖域。

あらゆる鳥の繁殖に次々と成功しているトーマスは、穏やかで優しく、オープンな性格です。外国人である僕とコミュニケーションをとる際も、その優しさと思いやりが伝わってきます。言葉の通じない生き物たちのコンディションを推しはかる懐の深さと、繁殖に導けるだけの技術を兼ね備えている素晴らしいプロフェッショナルの一人です。

いおワールドかごしま水族館(鹿児島県) 西田和記(かずき)さん

クラゲ展示で奇跡の復活を遂げた加茂水族館の話を覚えているでしょうか。これをきっかけに世界中から一躍注目を浴びることになったクラゲですが、次なるブレイクを僕が確信しているのは「ウミウシ」です。英語では「sea slug(海のナメクジ)」と呼ばれる軟体動物の一種で、「貝殻を捨てた巻貝」ともいわれます。実際、赤ちゃんウミウシは貝殻を背負っています。

このウミウシ、見た目が非常に多様で美しいことから「海の宝石」の異名をとるほど。昔からダイバーたちには人気の生き物で、ウミウシを観察することを目的としたダイビングッアーもあります。しかし、水族館で見かけた記憶のある人はほとんどいないのではないでしょうか。というのも、飼育展示が大変難しいのです。世界で推定6000種ほど、日本でも約1400種類が確認されているウミウシですが、種によって食べる餌の種類が異なり、さらにどの種が何を食べるのかわかっていないことが多いのです。その特殊な生態ゆえに飼育はもちろん、繁殖や長期的な飼育展示は至難の業です。

ところが、そんなウミウシの約400種の飼育展示を実現し、しかもそのうち4種は繁殖まで成功させているというとんでもない飼育係がいます。「いおワールドかごしま水族館」の飼育係、西田和記さんです。調査・研究を前提とした展示であるという意味を込めた「うみうし研究所」というネーミングで数十種ほどを常設展示し、生きたウミウシの姿をなかなか見る機会のない一般の人へそのチャンスを提供してくれています。

西田さんは大学時代からウミウシを研究し続けており、同館のうみうし研究所で展示するウミウシはすべて自家採集。野生での生息状況や餌の種類をフィールドで調査・研究し、飼育するために餌を安定供給できる環境を整えているといいます。その熱意と行動力には感服するばかり。世界随一のウミウシ飼育係のみならず専門家であることは間違いありません。すでに彼のもとへは多くの関係者が視察に訪れているそうですが、近い将来、ウミウシが世界の水族館を席巻する日も遠くないでしょう。

フランクフルト動物園（ドイツ）　ジェシカ・グリュネバルドさん

辞書を引くと最初に出てくる動物であり、有名な童謡のモチーフとしても知られる「アイアイ」。マダガスカル島に生息する原猿類（原始的なサル類の総称）です。夜行性の動物特有の真ん丸な目に灯る鋭い光、そして木の幹にひそむ虫をひきずり出すのに使う、非常に長い指と尖った爪というビジュアルから、地元では「地獄の使い」とも呼ばれています。日本の明るい童謡の雰囲気とは真逆のイメージですね……。

ともあれ、そんなアイアイを2001年から現在まで飼育し続けているのがドイツの「フランクフルト動物園」の飼育係、ジェシカ・グリュネバルドさん。

日本では、業務や関係者とのかかわりが偏るのを避けるために飼育担当を定期的に代えるのが一般的ですが、海外では熟練度を上げるため、またネットワークの構築と維持に重きをおくことから、担当が頻繁に代わることはあまりありません。ジェシカさんもアイアイの担当を20年以上続けてきたことになります。

しかし、年数が長ければそのぶん飼育動物と深く信頼関係を築けるかといえば、一概にそうともいえません。言葉の通じない相手の個体ごとの好み、クセ、こだわりを把握し、言葉では表現できないところも含めてフィジカル、メンタルのあらゆるコンディションを感じ取ることの難しさは想像以上のものです。特にそれが繁殖期を迎えたオスであったり、妊娠中のメスであったり、はたまた子育て中の母親であれば、なおのことです。

子どもを産んだばかりの母個体がナーバスになるのは世の常です。育児放棄した場合は別ですが、そうでない場合、他者がその赤ちゃんに触れることは難しいのが通常です。しかし、なんとジェシカさんは、担当しているアイアイが2021年10月に産んだ子どもの体重測定を自らの手で毎日行っているといいます。母個体とジェシカさんとの関係性は推して知るべしです。

ほかでもない、アイアイというこのマダガスカルの特別なサルを相手にその関係性を保つことの難しさは並大抵のことではありません。日々のトレーニングの積み重ねの賜物(たまもの)であり、それを誇りに思う、と彼女は言います。

以前、僕が初めてフランクフルト動物園を訪れたときのことです。餌のつくり方、与え方、工夫とそこに至る試行錯誤などをジェシカさんはこと細かに説明してくれました。そんな彼女の仕事ぶりには感心したものですが、さらにその後、まるで自宅で友人を家族に紹介するかのように、バックヤードから放飼場内に招かれ、彼女の〝家族〟ともいえるアイアイたちを撮影させてもらった日のことは忘れられません。

この先も、同園で生まれたアイアイを立派に育て上げ、さらなる繁殖実績をつくっていってほしいと願っています。

進化生物学研究所（東京都） 宮川悦子さん

近年人気の「カピバラ」を日本に初めて連れてきたのは、近藤典生さんという研究者です（60ページのコラム参照）。すでに亡くなっておりますが、近藤さんは種なしスイカの生みの親としても有名で、東京農業大学育種学研究所を前身として「進化生物学研究所」（通称「進化研」）を設立し、世界中の珍しい動物や植物の収集と研究をしていた方でした。そのお弟子さんとして知られるのが宮川悦子さんという飼育係です。近藤さんに教えを請いながら進化研で生き物を飼育したり研究したりしてきたバックグラウンドをもっているというわけです。この業界に何名か残る「近藤チルドレン」のお一人です。

宮川さんのすごいところは、飼育動物に心を許させ、その懐に入ってしまえるところです。生き物とのかかわり方が非常に密で、その生き物が何を感じているのか、どうしたいのかを察することに長(た)けています。横浜市立のよこはま動物園ズーラシアや金沢動物園などで飼育係として働いていたことがあり、オランウータンやコアラを担当し、いずれも繁殖に成功しています。特に、人工授精のためにオランウータンのオスから精子を採取する作業に成功したというのは当時（2004年頃）の画期的なニュースでした。最近ではその技術も確立されてきているとはいえ、宮川さんはまさにパイオニアだったのです。

また、廃棄用の消防ホースをねじってつくった橋で、オランウータンが住む森と森とをつなぐというボルネオ島のオランウータン保護プロジェクトにも携わっています。

女性飼育係のレジェンドのような存在の宮川さん。姉御肌ではっきりサバサバした感じの性格です。「本の中で宮川さんのことを紹介してもいいですか」と尋ねたら、さらりと「あら、いいわよ」と言ってくれた、そんな素敵な人です。

動物園・水族館という職場

「動物とかかわれる仕事」は人気だが……

生き物や動物が好きな人にとって、飼育係は憧れの職業といえるかもしれません。僕も講師として教鞭（きょうべん）をとることもありますが日本全国の動物専門学校や動物に関する専門性のある大学は大人気で、入学希望者が引きも切らないと聞いています。

職場としての動物園・水族館人気は、イルカトレーナーやアシカトレーナーといった「トレーナー」職の人たちの影響もありそうです。

日本の水族館では、イルカやアシカ、オットセイなどによるパフォーマンスが大人気です。みなさんもきっと一度は見たことがあるのではないでしょうか。言葉が通じないはずの動物が、人間の指示に従って華麗なアクションを見せるのはとても不思議で興味深く、観客にとっては非常に興奮する体験です。その生き物を率いるトレーナーの人たちはとてもかっこいいですよね。動物園・水族館のなかでも花形といえる立場です。

このようなトレーナーに憧れて「自分も水族館で働きたい！」と望む若者は少なくないようです。しかし、実際の水族館での仕事は地味で体力勝負の内容のオンパレード。何より、水族館で飼育されている生き物の9割は魚類。イルカやアシカ、オットセイなどはごく一部なのです。よって、水族館の飼育係の仕事のほとんども魚類の世話です。「イルカの世話をしたくて就職したのに」と、やる気を失ってしまう人の話もよく聞きます。

また、動物園や水族館で働きたいと望むわりにはこれまでに生き物を飼った経験がないとか、飼育係になった後に先輩から「家で飼ってみたら」と小動物の飼育を勧められても「いや、けっこうです」「飼育は仕事場だけで十分です」と拒否するというケースも少なくないようです。こういうタイプの人は、もしかすると動物が好きというよりは「（人前で）動物の世話をしている自分が好き」なのかもしれません。先の項目でもお伝えしたように、生き物へのあくなき探究心と愛がなければ飼育係という仕事はなかなか務まらないのになあ、と心配になってしまうのが正直なところです。

実際、動物園・水族館での仕事に華やかなイメージをもって就職した若者たちが、2～3年働いてどんどん辞めていく状況に、僕は危機感を抱いています。飼育係がどんどん入れ替わってしまうということは、園・館にスキルやノウハウが蓄積されないということです。いい飼育係が育たなければ、生き物たちをよい環境で飼育することはできません。生き物の命が守られない、つながっていかないということでもあり、動物園・水族館の存続にもかかわる話なのです。

「動物は好きだけどこの仕事は続けられない」という声

ただ、飼育係をとりまく日本の職場環境は、お世辞にも〝よい〟とはいえないように思います。夢のない話で申し訳ありませんが、僕の知る限り、動物園・水族館の職場は「3K（きつい・汚い・危険）」といわれることが多いです。最近は社会全体で働き方改革が進んできていますので改善されている部分も多いとは思いますが、生き物を相手にする仕事という側面を考えると、楽できれいな職場とはいえないかもしれません。このような事情からか、特に女性の飼育係は結婚や出産を機に退職してしまう人も多いです。女性の飼育係の数は年々増えていますが、長く続ける人は非常に稀といえます。

また、かつては自治体の職員として安定した身分が保証されているところが少なくありませんでしたが、現在は自治体の直営ではなく管理団体を挟んで運営されている動物園・水族館が多く、この場合、自治体の職員ではなく管理団体の社員、特に若い人の多くは期限つきの契約社員として雇用されます。企業運営の施設の場合はもちろんその企業の所属になります。どれだけ素晴らしい資質をもった飼育係でも契約社員としての雇用である限り、期限がくれば退職せざるをえません。新たに別の施設へ行っても同じことが繰り返されるため、飼育係本人のキャリアアップは一向に望めません。施設側にしてみても、若い人がやってきても3～5年の契約期間満了で退職を繰り返すばかりでは中堅層が育ちません。一方で、社員の高齢化は待ったなしです。高齢の社員、そして入っては数年で辞めていく若者のみで、その間で中核を担うべき人材の席はぽっかりと空いたまま。組織としての体制が非常に危うい状況です。

このような事情もあり、さらに、他業界・他職種と比べて特に給料面で優遇されているというわけでもありませんので、若い飼育係は将来的なことを考えて別業界へ転職していくことがよくあります。生き物を愛する気持ちがあっても、職業として続けていけないという判断です。これはとても悲しい日本の動物園・水族館の現実です。

飼育のプロフェッショナルとして

海外の飼育係は、もっとよい環境で働いていることが多いです。飼育係は飼育のプロフェッショナル。専門性を活かして働くプロフェッショナル同士として、園長・館長や獣医師とも、本質的には平等だと考えられているからです。マイスター制度が顕著なドイツはその最たる例で、飼育係になるのにも国家資格が必要です。「この資格をもっている人はこのような待遇で雇用しなければいけない」といった法律も厳格に定められています。本気でプロ飼育係を目指すなら、僕は海外へ出るのを勧めたいくらいです。

脱走を防げ

飼育係にもっと光を

真夏の太陽が照りつける日も真冬の冷たい風が吹きつける日も、体を張って動物たちを守っている飼育係。動物園・水族館にとって、生き物の命を守る飼育係はまさに生命線といっていい存在です。そんな彼らの労働環境が必ずしも望ましいものでないのは、深刻な問題ではないでしょうか。

そもそも、日本の動物園・水族館は経営面においての基盤が極めて脆弱(ぜいじゃく)であることは大きな問題です。そのようななかで、前述のようなハードな仕事と重要な責任を負う飼育係を、非正規の形で多くの園・館が雇用する例が増えている現実はゆゆしき事態です。

あまり好きな表現ではありませんが、まさに「やりがい搾取」の形で若い労働力が消費され続けるのは、長い目で見たときに誰にとってもメリットが少なくなるのは明らかです。若き飼育係たちが、せっかくその園・館で培った経験やキャリアを数年ごとにリセットするというリスクを伴い、施設から施設へと渡り歩く例は決して少なくないのです。

その動物園・水族館が公営なのか、私営なのかによって大きな差があるという前提での話になりますが、当然ながら、獣医師と飼育係とでは仕事に対するポジショニングにも差があります。園・館全体の生き物たちを俯瞰（ふかん）しながら付き合う必要のある獣医師に対し、基本的には担当の動物のみを見ることになる飼育係。辞めさえしなければ、あるいは他部署への異動がなければ、長く広く「面」で園・館や生き物とかかわる獣医師に対して、飼育係は比較的「点」でのかかわりといえるかもしれません。もちろん、動物園・水族館で働く人間のなかで、唯一国家資格が必要なのが獣医師ですので、その資格取得に対する先行投資を考えれば、待遇面でのいささかの差も納得できる面はあります。しかし、職業としての飼育係にもう少し違ったキャリアデザインの可能性を広げてあげられるようになるといいなと、僕は常々思っています。

また、ただでさえそういった差異のある獣医師と飼育係には、ときとして軋轢（あつれき）が生まれやすいことも事実。うまく両者の潤滑油になってあげられるマネジメント役は必要不可欠です。もちろん園長・館長などがそれをうまく担える場合もあるとは思いますが、いかんせん動物園・水族館の世界における各種のコンプライアンス（法令遵守）は日を増して厳しくなりつつあります。人間という動物の面倒をみる大変さに、勇気をもって挑戦し続けるのは並大抵のことではないでしょう。

いずれにしても、この業界は少しずつ前時代的な「3K」から脱却し、憧れの職業の一つとなっています。裾野が広がったことにより、飼育係を志す人材が多様になり、意識も専門性も高まったことはたしかです。「獣医師も専門性をもった集団（動物園・水族館）の一部門になってきている」というのは、私の信頼する獣医師の言葉です。

そもそもの経営母体が、どれだけ将来を見たフェアで健全なマネジメントに腐心するかにすべてはかかっていますが、望まずにその園・館を去ることになる飼育係や獣医師が減ることを、僕は心から願ってやみません。飼育係はもちろん、獣医師やそれ以外の職種のスタッフも含め、お互いの仕事をリスペクトし合える関係と体制があってこそ、生き物にとってのベストな飼育につながっていくと信じています。

動物の脱走トラブル、なぜ起こる？

動物園・水族館内で権限が公平に分散されず、その結果、いい飼育係が育たないことは、動物園・水族館の質の低下を招くことにもつながります。

ときどき、「〇〇動物園から動物が逃げ出した」というニュースが報道されることがあります。面白おかしく報道されることも多いですが、笑いごとではありません。人間に危害を加える種類の生き物でなければ問題ないということではないのです。たとえば、動物園から逃げ出した動物が、住み着いた先で生態系に及ぼす影響を誰がどう確認できるでしょうか。日本には現在「外来種」として定着した生き物は2000種いるともいわれていますが、動物園や水族館から外来種を増やすわけにはいきませんよね。個人はもちろんですが、動物園・水族館として生き物を飼育するのなら、その行動と命に責任をもたなければなりません。施設から逃してしまうなんてもってのほかではないでしょうか。

生き物が逃げ出してしまうといった問題が起こるのは、飼育係が獣舎の鍵をかけ忘れた、間違えたといったヒューマンエラーによるものがほとんどです。生き物に対する責任を負うのだという自覚をもたなければいけないという意味では、飼育係として就職する学生を送り出す大学や専門学校も今以上に意識を高くもって学生を教育する必要があります。しかし、それ以上に、動物を飼育管理するための基本的なことを現場で学ぶだけの環境が、現在の日本の動物園・水族館にないということが一番大きいと思います。

そもそも、飼育係がそんなミスをしてしまうのはなぜでしょうか。ダブルチェック、トリプルチェックなど、確実に施錠を行うための体制が本来なら整えられていてしかるべきです。また、集中力ややる気を欠いた状態の飼育係に、上司が仕事を任せていた可能性もあります。もっといえば、その施設の労働環境や待遇面の影響で、そもそもいい飼育係が育っていないのかもしれません。

動物専門学校を卒業したばかりの新米飼育係がいきなりライオンを任せられるようなことは、日本の施設ではありえても海外の施設ではまずありえません。特にヨーロッパの施設では、厳しい研修を1～2年間受けた飼育係でないと現場を任せてはもらえません。

つまり、日本の施設が動物を逃してしまうというトラブルは、業界全体を含めた管理体制や労働環境、教育体制の問題も関係しているのです。マスコミにはゴシップのように面白おかしく報道するのではなく、施設の責任を問い、原因究明を求め、二度とそのようなトラブルが起こらないような報道の仕方をしてくれることを望みます。

このような逃走トラブルのほかにも、鍵のかけ忘れによるトラブルで動物が飼育係を傷つけてしまったり、他園へ運び出す最中の事故が原因で動物が死んでしまったりといったトラブルはあちこちで起こっています。なぜこのようなことが起こってしまうのか、そして今後二度と起こさないようにするにはどうすればよいのか。そういったことを、日本の動物園・水族館は、職員の労働環境の面も含めた大きな視点から対策を練る必要がありそうです。

動物のお医者さんも楽じゃない

動物園・水族館の嫌われ役

動物園・水族館を支える裏方の一員である、獣医さんの仕事についても触れておきます。獣医師は動物専門のお医者さんです。動物園や水族館にはほぼ必ず獣医さんがいて、大きなところでは10人近い獣医さんを抱えているところもあります。なかには、獣医師でありながら飼育係のように担当飼育動物をもっている人もいます。

動物に医療行為を施せる存在としてみんなから頼りにされている獣医さんではありますが、同時に、動物たちからは最も嫌われる存在でもあります。

病院に行くのが好きな赤ちゃんや子どもがなかなかいないように、動物も獣医さんが苦手です。ときとして力づくで押さえつけられたり、注射針を刺されて痛い思いをしたり、飲みたくもない薬を飲まされたりするのがわかっているからです。

とはいっても、採血や投薬、場合によっては手術などの治療を施して動物の健康を保つのが獣医さんの務め。嫌われ役になりながら彼らの命を守っているのです。

事件は現場で起こっている

獣医師になるには大学で獣医学を6年間学び、獣医師国家試験に合格する必要があります。その就職先は動物病院、産業動物（ウシ、ブタ、ウマなど）の団体、地方自治体などさまざまです。動物病院は日本全国に1万5000軒以上ありますから、動物園や水族館に就職する獣医師は全体のほんのひと握りといえます。

実は、日本では獣医学で扱う内容のほとんどはイヌ、ネコ、ブタ、ウシなどの家畜動物のことばかりです。ですから、動物園・水族館にやってきた新米の獣医さんというのはキリンやゾウ、ペンギンのことはほとんどわかりません。現場で学んでいくしかないのです。新米の頃は動物の採血を行うのも飼育係の手助けがないと無理ということも珍しくありません。

そんな獣医さんが動物園・水族館の獣医師としてのプロフェッショナルになる秘訣は何だと思いますか？

答えは、「日々、施設にいる生き物の観察をし続ける」ことです。

獣医さんにもいろいろな性格や考え方の人がいて、なかには、獣医室にこもっていて、治療をするときしか動物と触れ合わない人もいれば、普段から施設内をめぐり、動物たちの様子を観察し続けている人もいます。よい獣医師になれるのはもちろん後者でしょう。普段から動物の様子を見ていれば、少しでも変化があれば気づくことができます。早期に病気の芽を発見することができれば重症化を避けやすくなります。事件は常に現場で起こっています。「何かあってから」では遅いのです。

また、動物は外敵に狙われる危険性が高まるため不調を隠す本能があるともいわれます。いざ体調が悪くなったときにスムーズに治療が行えるよう、獣医師は普段から動物に慣れ親しんでもらうことが重要です。元気なときでも頻繁に顔を見せ、声をかけ、「この人は敵じゃない、安心だ」と動物に感じてもらう必要があるのです。それは対飼育係にも同じことがいえるでしょう。「かかりつけ医」という言葉がありますが、それぞれの担当者の大切な動物たちを、いかに日頃から気にかけて見ようとしているか。その姿勢が、動物たちを最も身近で見ている飼育係との信頼関係の構築につながっていくのです。

わざわざ獣医師を現場に呼び出して「診てください」とお願いするほどではないけれど、ちょっと気になることがある、あるいは、そういえば一昨日くらいから、こんなことが……のような話は意外とあるものです。そのような、現場のちょっとした会話から生まれるエッセンスを見逃さずに捉えるセンスはもちろんですが、いつあるともないともわからない、そのほんの少しの瞬間に立ち会うためには日々の努力が欠かせないのです。

こんな獣医さんがいます

僕が知る、素晴らしい獣医さんを2名紹介したいと思います。

天王寺動物園（大阪府）　西岡真（しん）さん

僕の地元でもある大阪の天王寺動物園に勤める西岡さんは、動物へ向けるまなざしがとても優しく、動物へのあたたかな気持ちがこちらにも伝わってくるような獣医さんです。

動物だけでなく、植物に対する意識も高いのが西岡さんの特徴。今は使われなくなった獣舎やバックヤードのようなちょっとした園内の空いたスペースで植物を育てて動物に与えたり、獣舎へ移植したりもしています。どの動物がどの植物を好んで食べるかを調べるために実験的に育ててみるものもあれば、個体の好みに合わせて育てているものもあるそうです。西岡さんはユーカリを高く大きく育てて、コアラたちがその木々に自由に登れるような屋外放飼場の環境を整えました。よくある「ガラス張りの屋内放飼場で擬木にたたずむ」だけでない、より自然でオーストラリア現地の野生に近いコアラの姿が見られる夢のある展示でした。

しかし2019年に同園におけるコアラの展示は惜しまれながら終了し、この放飼場も別の動物のためにリノベーションが予定されています。この背景には、コアラが餌として必要とする大量のユーカリの確保にコストと手間がかかりすぎるという事情があります。日本に自生しないユーカリは、国内数ヵ所の栽培委託契約を結んだ農家から入手するよりほかに方法がなく、その日の気分でコアラたちが食する種も一定ではありません。ユーカリは約900種もの仲間が存在していますが、そのうち特にコアラの食性に合うとされているものを複数種選んで常時鮮度を保って用意しておかなければ飼育はできないのです。

天王寺動物園の一つの象徴でもあったコアラ飼育の歴史に幕を引かなければならなかった西岡さんの悔しさはいかばかりだったかと想像しますが、こうした彼の功績やマインドは同園の貴重な財産として蓄積されていることは間違いありません。いつかまたユーカリの木の上で通天閣やあべのハルカスを眺めて日がなぼんやり過ごすコアラを、大阪のみなさんと一緒に見られる日を期待せずにはいられません。

鴨川シーワールド(千葉県) 勝俣悦子さん

現在、シャチのパフォーマンスが見られる日本で唯一の水族館として知られる「鴨川シーワールド」。勝俣さんはそこで40年以上獣医師として働いています。ベルーガ(シロイルカ)の飼育担当を経て、シャチやセイウチなどの海獣類の健康管理や治療を担当しています。2003年には日本で初めてのイルカの人工授精に成功。翌年、希少種繁殖における日本の動物園・水族館業界の年間MVPのような存在の「古賀賞」(日本動物園水族館協会)も受賞するなど、日本の女性獣医師のパイオニアの一人として知られています。

海獣類や鯨類の飼育については一日の長がある鴨川シーワールド。コロナ禍においても、念願のベルーガの飼育下繁殖に成功しました。水中では生き物たちの間でひとたび細菌感染が発生するとあっという間に広がり、多くの命が失われかねません。そんな水族館ならではの注意点もあるなか、勝俣さんは小さなことも見逃さないように日々生き物たちを見守り続けます。

2人のお子さんを育てたお母さんでもある勝俣さんは優しくオープンな性格。〝イタリアンマンマ〟の雰囲気と風格があります。その一方で、獣医師としての緻密なアプローチで鴨川シーワールドの海獣類と日本の海獣医学に貢献し続けてきました。ちなみに、ご伴侶は同じく鴨川シーワールドに勤める現館長の勝俣浩さんです。

獣医師のキャリアを活かして

また、獣医師としてのキャリアをバックボーンにユニークな経歴を重ねている方もいます。たとえば、国立科学博物館の前館長の林良博(よしひろ)さんです。日本動物園水族館協会（JAZA）をはじめ、国内外で生物学や獣医学を中心とした数多くの協会・団体で顧問などの要職を務め、政財界にも広いネットワークをおもちです。古今東西あらゆることに精通しており、しかも目先のことを抜きに中長期的な視野でさまざまなことを見て判断する柔軟な考え方や、年齢を感じさせないフットワークの軽さをもっています。年齢や業界の垣根を越えた活躍は本当に素晴らしく、多くの人から尊敬を集めています。そのすごさにあやかりたくもあり、今もご指導をいただくことに関しては光栄と感謝の気持ちで一杯です。

生き物たちの繁殖事情

動物園・水族館の生き物は
どのように次世代へ命をつなぐのか

「人工哺育」「人工授精」などの言葉がここまでに何度か登場しました。動物園や水族館の生き物はどのように子孫を残しているのか、気になった人もいるかもしれません。

動物園や水族館で暮らしながら、自然と繁殖することもあります。とはいっても、飼育下での繁殖には少なからず人の意図が反映されています。ずいぶん昔には「オスとメスを同じ場所で飼っていれば勝手に増えるだろう」と考えられていたこともあったようですが、そんなに簡単なことではありません。メスの発情の周期や、種ごとの生活スタイルがあるからです。

動物には、単独性のものもいれば集団で暮らすものものもいます。群れで暮らす動物は、発情周期のマッチしたメスとオスが随時繁殖を行います。単独性の動物は、出会ったメスとオスがちょうど発情期にあった場合のみ繁殖のチャンスを得るのです。しかし、本来単独性の動物のオスとメスを長年同じ場所で飼っていると、お互いを異性と意識できなくなるのか、自然繁殖しなくなることがよくあります。そこで、種によっては、単独性の動物はオスとメスとを分けて飼育し、発情のタイミングでのみ一緒にして繁殖を試みるという方法が採用されています。

「繁殖の星」をもつ人

発情期は、糞尿を分析してホルモンの値を見ればおおむね正確に把握できます。しかし、数字的には発情期がきているのに繁殖がうまくいかないこともあります。数字だけではわからない「今だ！」というタイミングを察知し、オスとメスをうまく引き合わせられるかどうかは、飼育係の腕次第です。

ちなみに、技術的なことは抜きにして「この人が担当するとなぜか繁殖がうまくいく」

と称されるタイプの飼育係が不思議と存在します。とりたてて変わったことは何もしていないにもかかわらず、なぜか担当した動物が続々と繁殖していくのです。「○○動物園で△△年ぶりに□□が誕生」といったニュースを見かけて担当飼育係を調べてみると、「あれ、またこの人が担当!?」ということがよくあります。そういう星をもって生まれてきているとしかいいようがありません。運も実力のうちということで、飼育係としては素晴らしい適性ですね。一方で、独自の研究とトライアンドエラーを重ねて成功しているタイプの人も、もちろんいます。

動物たちの「育児放棄」

繁殖に成功し、無事に赤ちゃんが誕生してひと安心……とはいかないこともあります。本来は群れで暮らしている種にもかかわらず、飼育下の少ない個体数のなかで成長した動物は、子育てがうまくできないことも少なくないのです。野生下では群れの仲間や、近くにいる同じ種の動物が妊娠・出産・子育てする様子を目にする機会はたくさんあります。しかし、動物園や水族館ではなかなかそういうわけにもいきません。いざ自身が出産しても自分の状況と生まれた子どもの存在を理解できず、パニックになってしまうことがあるのです。

そのようにお母さんから「育児放棄」された赤ちゃんが発生した場合、特に日本では可能な限り飼育係が人の手で育てる努力をします。しかし、出産直後にお母さんに攻撃されて死んでしまったり、なんとか救出しても衰弱してうまく育たなかったりすることも少なくありません。最近では、お母さんの育児放棄を防ぐため、出産が近づいたゾウやゴリラなどに同じ種の出産シーンを撮影した動画を見せる試みも始まっています。効果のほどはまだはっきりしないようですが、飼育下での出産と子育てがうまくいくよう、動物園・水族館ではさまざまな努力や工夫がされているのです。

動物の赤ちゃんを人工哺育することの賛否

「○○動物園で世界・日本で初めて△△の人工哺育に成功」といったニュースが世間で話題になることがよくあります。特に日本では、母個体に育児放棄されてしまった赤ちゃんが飼育係によって救われたと、美談として語られることが多いです。失われたかもしれない命が救われたことは尊いですし、無事に成長させられるだけの飼育係の献身と技術は心から尊敬に値します。

しかし、世界的に見ると人工哺育は最終手段であり、賛否両論あるというのが現実です。というのも、「この子は育てない」と決めた母個体のジャッジを尊重するという考え方が海外ではわりと一般的だからです。もちろん、人工哺育をしたくてもその施設では人員面や技術的に不可能ということもあるとは思いますが、それだけではないのです。

実は、育児放棄は野生下でも珍しいことではありません。たとえば、鳥は基本的に毎回卵を複数産みます。哺乳類でもクマやネコの仲間などは、双子かそれ以上の赤ちゃんを産みます。しかし、そのうち元気な個体を優先し、そうでない個体は育てないこともしばしばあります。その理由には「より生命力の強い個体を選別して育てることで種の生存確率を高めている」「無理して両方育てると餌が足りなくなって母個体も共倒れになってしまう」などがあると考えられていますが、餌がどれだけ豊富に得られそうか、冬の間の雪は多いか少ないかなど、そのとき置かれた環境条件などを複合的に感じとり本能的に判断しているのです。これこそすなわち自然の摂理といえるのではないでしょうか。

飼育下で育児放棄された赤ちゃん個体を飼育係が人工で育てた場合、別の問題もあります。生まれたときからずっと人間に育てられた動物は、その飼育係に依存します。特定の飼育係以外の世話を受けつけなくなりやすく、人間側の労働環境に影響が及ぶのです。

また、往々にして、人工哺育で育った動物は身体のどこかに疾患をもっていることがあります。脳や体のパーツの一部に問題があり、〝持病〟を抱えることが多いのです。人間からの継続した医療的ケアがなければ長生きできないことも。精神的に不安定なことも多く、その施設内での群れやペアの形成に影響を及ぼすこともあります。

なぜそうなってしまうのかははっきりとわかっていませんが、母親の「初乳」をもらえず、人工のミルクで育つことで本来のあるべき成長が整わないという可能性があります。あるいは、もともとそのように弱い個体だからこそ母個体が「育てない」というジャッジを下していたという可能性も否定はできません。もちろん、その両方の可能性もあります。

救える命は救えばいいという考え方がある一方で、自然の摂理とどう折り合いをつけるか。答えの出ない問いかもしれません。

ラッコがいなくなる日

飼育動物の繁殖は動物園・水族館の大事なミッション

自然繁殖がうまくいかないときは、人間の生殖医療と同じようなイメージで人工授精を行うこともあります。名飼育係として紹介した進化研の宮川さんがオランウータンの精子の採取に成功したというエピソードを紹介しましたが、彼女のように、繁殖に関する高い技術をもつ飼育係も世界にはたくさん存在します。

というのも、野生動物の保護を目的に、国際的な取引を規制する「ワシントン条約」があるため、おいそれと野生から動物を連れてくることはできないのです。そのため、飼育下での数が減ってきた生き物の累代的な繁殖は、常に動物園・水族館の喫緊の課題です。

なんとか無事に子孫を残せるよう、みんなが力を尽くしています。

動物園・水族館での繁殖は基本的にコントロールされている

とはいえ、むやみやたらと繁殖をさせるわけにもいきません。血縁が近い個体同士の繁殖（インブリーディング）は遺伝的な問題が起こりやすくなります。実際、飼育下での繁殖動物はどんどん小型化する傾向があります。つい先日も「このカピバラ、生まれて1年くらいですか？」と飼育係に声をかけたら「いいえ、もう5歳くらいのオスですよ」と言われ、その小ささに驚いたことがあります。限られた血統のなかで繁殖を繰り返した結果なのでしょう。

そんなわけで、特定のペアから生まれた子どもが日本国内にすでにたくさんいる場合は、同じ血統をそれ以上増やすのは遺伝的にみてリスクが高いと判断することもあります。つまりは、いろいろなペアによる、遺伝的多様性のある繁殖が理想なのです。

問題はほかにもあります。日本は狭い国土にたくさんの施設が存在する動物園・水族館大国だとお話ししましたね。一つひとつの施設の敷地面積がそう広くはないため、飼育動物をたくさん抱えることができないのです。また、たとえばキリンやライオンのオスのように、子どものうちは両親と同居できても、大きくなると父親と争ったり母親を相手に近親交配してしまったりすることがあるため、飼育スペースを分ける必要もあります。野生と違って、増えるだけ増えてもらうというわけにはいかないのです。

つまり、動物園や水族館での生き物の繁殖は、基本的に人間のコントロール下にあるのです。「このペアの子どもは増えても大丈夫」という場合は自然繁殖を促し、そうでない場合はオスとメスとで飼育スペースを分けたり、猿人類の場合は薬を使って妊娠を避けたりします。

3頭しかいなくなった日本のラッコ

もちろん、コントロールしきれずに想定外のペアから子どもが産まれてしまったり、逆に、なかなか産まれなかったりもします。

そもそも、人間が命をコントロールしようというのは、ある意味なかなかおこがましいというか、難しいところでもあります。現に、「しばらく増やさないでおこう」と考えていた動物が、ふと気づくと頭数が激減していることもあります。

代表的なのがラッコです。1990年代のピーク時には国内に122頭いたラッコですが、現在はたったの3頭。しかも全員後期高齢者のため、繁殖は不可能です。ラッコは大食漢かつ新鮮な魚介類しか食べないため、1頭あたり年間2000万円ともいわれる多額の飼育費がかかる動物です。そのような事情もあり繁殖を控えていたところ、このような事態に陥ってしまいました。これから育つ日本の子どもたちは、(少なくとも飼育下で)ラッコのあの愛らしい姿を見られなくなるのかと思うととても残念です。

日本の動物園・水族館の繁殖は課題だらけ

ラッコは極端な例でしたが、同じ状況に陥りかねない動物はたくさんいます。そもそも、野生から連れてくることができないという時点でどの生き物も等しくそのリスクを負っています。

別の動物でいうと、たとえばマレーグマなどもラッコと似たような状況に陥りつつあります。ひと昔前は日本の動物園でコンスタントに生まれていたマレーグマですが、現在は国内の動物園で15頭になっています。しかも、繁殖の可能性があるのはたったの1ペアのみ。ピンチです。そこで、なんとか新たな血を導入すべく、マレーグマを海外から連れてきたいという相談をとある動物園から受け、飼育下にある海外のマレーグマについて調べてみました。しかし、ここ数年、世界的にも繁殖の報告が激減しているのです。こんなことは10年前には考えられませんでしたが、不思議なものでこういったことは重なってしまいがちです。「まだここにもあそこにもたくさんいるから」とたかをくくっていると、あっという間にこんな事態を迎えてしまうというパターンはまだまだこの先いくつも起こるでしょう。

種の保存や繁殖というのは非常に難しいテーマです。たくさんいるから問題ないと考えていた生き物が病気や事故などでバタバタと一気に数を減らしてしまうこともあります。血統の問題で、増やしたくても増やせない場合もあります。相性がよく何度も子どもが生まれていたペアでも、数年あるいはたった1回繁殖を控えさせたらその後、まったく繁殖できなくなることもあります。

このように、人為的なコントロールが裏目に出ることが多々起こるため、僕個人としては、「増えるうちに増やしておいたほうがいい」という考えです。自然繁殖できるのなら、毎年定期的に繁殖するのが一番自然でしょう。人間の都合で頻繁にペアを変えたり、繁殖を控えさせたりすることで、いざというときに二度と繁殖できなくなるというのは非常に残念なことです。とはいえ、血統の問題や飼育スペースの都合もあります。血統については日本動物園水族館協会（ＪＡＺＡ）が管理しており、施設としては「繁殖できるうちに増やしたい」と考えていてもＪＡＺＡから血統管理上の観点で指導が入り、思うようにいかないこともあります。本当に、難しい問題です。

日本の狭い国土では、飼育動物を増やしたいだけ増やすわけにはいきません。かといって、死んでも野生から連れてくることもできません。

日本の動物園・水族館の繁殖は、どちらの道を選んでも課題だらけなのです。

動物はどこからやってくるのか

業界に大きな影響を与えたワシントン条約

「サイのツノは高く売れる」「象牙を手に入れようとする人たちにたくさんのゾウが殺された」などの話を、どこかで聞いたことのある人もいるかもしれません。寒さや水に強いアザラシの毛皮、革製品の原料となるワニの皮など、自然界の生き物はこれまで人間によって活用され、乱獲が繰り返されてきました。環境破壊によって命を落とす生き物もたくさんいます。

そんな野生動物を守るためにつくられたのが「ワシントン条約」です（植物も含まれます）。絶滅の恐れのある動植物を対象に、危惧具合に応じて3段階のリスト分けをし、それぞれ規制の内容を定めています。ひらたくいえば、「絶滅の恐れのある動植物は野生から勝手に連れてきたりもってきたりしてはいけないし、取引をしてもいけません」ということです。日本は1980年に締約国となっています。

ワシントン条約は、動物園・水族館業界のあり方を大きく変えました。それまでは、動物園・水族館で飼っている生き物が死んだら野生から連れてくるだけでよかったのです。しかし、今はそれもできません。例外としては、「傷病個体」といって、病気や怪我でダメージを負った野生の生き物を動物園や水族館で保護するケースがあります。この場合、怪我や病気がよくなれば野生に戻すことを優先しますが、なかには難しいと判断される個体もいます。野生に戻しても自分で餌をとれなかったり、すぐに捕食されたりするだけと考えられるケースです。そのときは、そのまま保護した施設で飼育したり、必要としてくれる別の動物園・水族館に譲渡したりして、そのまま人間の手で飼育することもあります。

このような例外を除くと、いわゆる「鳥獣保護管理法」や「動物愛護管理法」などの国内の法もあいまって、野生から生き物を連れてくることは基本的に不可能です。

動物園・水族館が生き物を入手する3つのルート

では、動物園・水族館では生き物をどう確保しているのでしょうか。
大前提は、施設内での繁殖です。難しい場合は、次の3つのルートで入手します。

1　譲渡、交換

動物園・水族館同士で生き物を譲り合ったり、交換し合ったりします。ワシントン条約によって商取引は禁止されていますので、金銭は発生させません。ただし、輸送にかかる経費を含む諸経費は譲ってもらう側が負担するのが一般的です。国内でのやりとりが多いですが、僕のような動物園・水族館コンサルタントを通じて海外とやりとりをすることもあります。

2　レンタル、ブリーディングローン

共同研究という名目で、よその動物園・水族館や研究施設から生き物を借り受けることがあります。わかりやすい例としては、中国からやってきているジャイアントパンダがあります。共同研究費用という名目で日本が費用を負担し、期限がくれば返す形です。パンダの場合は2頭で年間およそ1億円という数字がよく知られています。日本の動物園でのパンダ人気を考えると、それもうなずける話かもしれません。

また、繁殖を目的とした貸し借りのことを「ブリーディングローン」といいます。メスあるいはオスの片方しかいない、あるいは相性がよくないなどの理由で、その施設内での繁殖がかなわない場合に、よその施設から別の個体をレンタルするわけです。なお、中国から上野動物園にやってきているパンダはあくまで学術研究目的であり、ブリーディングローンではありません（自国以外で積極的に増やすのをよしとしない考えもあるようです）。

ちなみに、いずれの場合も「レンタル」「ローン」という言葉がついてはいるものの「明日返して」というような、急を要するやりとりは基本的には行われません。生き物の移送には命のリスクがありますので、頻繁な移動はなるべく避けられます。

3 動物業者

動物専門の業者から生き物を譲り受けることもあります。明治時代から続いており、

「動物商」とも呼ばれます。もちろんワシントン条約の規制対象種については金銭的な取引は制限されていますので、明確に「定価○○万円」といったような金銭での売買はしづらい一方で「交換」などという形をとって、求められる生き物と、提供できる生き物とをうまく手配料を得ながら取引していきます。この場合、提供する多くは動物園や個人飼育者にとって「余剰動物」と呼ばれる生き物たち。想定外に多く繁殖してしまって増えすぎたものだったり、近親交配を避けるために施設から出された個体だったり、いろいろなケースがあります。

動物商と呼ばれる業者は、このような余剰動物を各施設（動物園・水族館、個人のブリーダー、ペットショップなど）から集め、それを必要とする別の施設へと分配することをビジネスにしているわけです。ただ、今なお密猟や密輸などの違法取引が多数横行している（空港などで密輸が発見され緊急保護される生き物がいますが、氷山の一角にすぎません）という現実を鑑（かんが）みるに、自然界からしかるべき方法や手順を経ずに連れてこられた野生動物がそういったマーケットに含まれていることは残念ながら公然の事実です。こうした一部の業者が業界のブラックボックスとして暗躍することで、これまで透明性の高い取引をしてきた業者もコンプライアンスの観点から必要以上に厳しい目を向けられ、廃業に追い込まれた例も少なくありません。

シャチが1頭5億円だとか、ゴリラが1頭2億円だとか、法外な価格がつけられた例がまことしやかに一人歩きしている情報を、これまた面白く取り上げたメディアで目にしたことがあるかもしれません。しかし、真っ当な動物園や水族館が新たに生き物を手に入れようとするならば、たとえネズミ一匹でも、その生き物がどこから来た、どんな由来のある個体なのかというトレーサビリティについて踏み込む必要がある時代なのです。

日本の水族館は恵まれている

以上のような方法で、動物園や水族館は生き物を集めています。ちなみに、動物園とくらべ、水族館はそこまで生き物の確保に苦労することはありません。というのも、ワシントン条約で規制されている魚類は動物や植物と比べると少ないからです。しかも、日本は島国で周囲はすべて海。自然界から連れてくることが比較的容易なのです。

また、水族館は大量の海水の確保が最重要課題。大量の海水を輸送するのは非常にコストがかかります。そのため、主にヨーロッパやアメリカのインランド施設ではこれまで何十年も莫大な人員と予算を割いて人工海水を研究開発してきました。

そんな悩みとも無縁の日本で水族館が増えていったのは当然といえば当然でしょう。日本の水族館でやたら多く飼われているペンギンも、遠洋漁業に出た漁師が海からたくさん連れ帰って水族館に譲ってきた歴史があるからだといわれています。日本の水族館は、世界と比べると非常に恵まれた環境にあるのです。

とはいえ、先述したイルカ問題からもいえるように、国内のみならず、国際的な協力体制を築いていかなければ飼育動物の確保と施設の存続が難しくなっていることは間違いありません。

モントレーベイ水族館〔アメリカ〕

所在地 886 Cannery Row, Monterey, CA 93940
営業時間 10:00〜17:00(季節により異なる)
休館日 12/25

元缶詰工場の水族館がさびれた街を再生させた

世界最高峰の水族館との呼び声高いモントレーベイ水族館。1900年代初期はイワシの缶詰工場だった場所を、海洋保全のための研究所へと改造したのが水族館の前身です。来館者を最初に迎える大水槽では、世界一長くなる海藻として知られる「ジャイアントケルプ」の迫力をお楽しみいただけます。また、絶滅危惧種として日本の水族館ではこの先見る機会がなくなりそうなラッコも、間近で、さらに水族館の目と鼻の先の海岸沿いに暮らす野性の姿も堪能できます。同館のありとあらゆるコンテンツからは一切の妥協と油断を感じません。『ジャズ・タイムズ』誌が"全米そして世界の宝"と称賛するモントレージャズフェスティバルの開催時期にあわせて訪問するのもいいですね。

オセアノグラフィック〔スペイン〕

所在地 Carrer d'Eduardo Primo Yúfera, 1B, 46013 València
営業時間 10:00〜18:00(土曜日は10:00〜20:00、季節により異なる)
休館日 年中無休

そのたたずまい、もはやモニュメント

一見してこの建物が水族館であると気づける人がどれだけいるでしょうか。その美しいフォルムが醸し出す近未来的な雰囲気のたたずまい、建築物好きにはたまりません。昨今はショッピングモールの一角を水族館に改造するような例が増えているなか、オセアノグラフィックの素晴らしさはますます際立つと感じずにいられません。もちろん施設内も「美しい」の一言。調度品や内装のデザイン、水槽の装飾、ファサード（建物の正面)、何をとっても素晴らしく美しい。海の中にいるようなうっとりした気分で多種多様な生き物たちの観察を満喫できます。この先50年、100年を考えて建造された、スペインの至宝ともいえる水族館です。

プリモルスキー水族館〔ロシア〕

所在地 Ulitsa Akademika Kas'yanova, 25, Russkiy, Primorsky Krai
営業時間 10:00〜20:00　入館は閉館1時間半前まで
休館日 月曜休、水曜（団体利用のみ）

ロシアの海洋生物学研究における最大にして最高の展示施設

すっかり行きづらくなってしまったロシア。とはいえ、かの国が擁するプリモルスキー水族館はやはり文句なしの世界水準。ロシア沿海地方最大都市ウラジオストクからバスで1時間程度の場所にあります。首都モスクワに海はなく、海洋研究における出先機関を極東のウラジオストクに設けたというわけです。調査研究と水族館とをミックスさせるのはもはやどこの国でもマストのミッション。当館では鯨類や海獣類について最先端の技術が投入された飼育展示が見られます。まるで巨大な貝のような外観もユニーク。僕にとっても、またいつか必ず訪れたい水族館の一つです。

ツーオーシャンズ水族館〔南アフリカ〕

所在地 Dock Rd, Victoria & Alfred Waterfront, Cape Town, 8002
営業時間 9:30〜18:00(土日・祝日は9:00〜)　入館は閉館30分前まで
休館日 年中無休

アフリカ最高の水族館は ケープタウンの豊かな潮目の海に彩られて

「世界一美しい港町」といわれるほどの美景で知られるケープタウン。南アフリカ共和国の南先端に位置し、豊かな海と山の自然に触れられる観光地として人気です。そんなケープタウンのツーオーシャンズ水族館はアフリカ大陸最高の水族館の一つです。同館では名前の通り2つの海洋に育まれる多様で豊かな生物相をそのまま展示。冷たい水の大西洋とあたたかいトロピカルな水のインド洋、そのコントラストが織りなす多様な海洋環境と水生生物が同館を彩ります。水族館の目の前の港には野生のオットセイがくつろぐデッキも。のんびり日向ぼっこするオットセイにぜひ挨拶してみては。

バーガー動物園〔オランダ〕

所在地 Antoon van Hooffplein 1, 6816 SH Arnhem
営業時間 9:00〜18:00(冬季は9:00〜17:00)
休館日 年中無休

動物園と水族館の垣根を越えて新時代を担う

動物園と水族館の垣根をこれだけ見事に取り払えた施設はほかにないでしょう。バーガー動物園はそう確信させてくれる唯一無二の存在です。そのキーは植物。園内のそこかしこに豊かな緑が生い茂ります。動物園・水族館と植物とをミックスさせるのは世界的なスタンダードになりつつありますが、同園は紛れもないパイオニアであり成功者です。業界を驚かせた、熱帯雨林エリアの「ブッシュ」をはじめとし、「サバンナ」や「マングローブ」に足を踏み込むと一瞬自分がどこにいるのかわからなくなるほどの没入感が。複数の種を同じところで飼育する「混合展示」の技術も高く、何より創業者によるファミリービジネスとしてこれが継続しているのは素晴らしいの一言に尽きます。

モナコ海洋博物館〔モナコ〕

所在地 Av. Saint-Martin, 98000 Monaco
営業時間 10:00〜18:00(季節により異なる)
休館日 12/25、F1グランプリの週末

大航海時代を彷彿させるロマンあふれる水族館

冒険心をくすぐられるという観点でこの水族館の右に出る施設はありません。地中海に臨む崖の上にたたずむモナコ海洋博物館は、海洋学者としても知られたモナコ大公アルベール1世の命(めい)によってつくられました。人生の大半を海洋研究に費やし、「芸術と科学という、文明の主軸力となるこの2つを1つの輝きにする」という彼の言葉は同館のコンセプトになっています。自ら海洋調査に赴(おもむ)き、その数々の旅の記録たる貴重な標本などを海洋博物館として、また、生きた海洋生物たちを水族館として展示しています。クラゲやサメは言うに及ばず、そしてモナコ海洋博物館といえばサンゴの飼育繁殖のパイオニアでもあります。さまざまなアーティストとのコラボレーションも必見。

第5章

「アンコール」の声がききたくて

動物園・水族館が愛される場所であり続けるために

生き物たちは「見せ物」じゃない

2000年前後に日本で続々とオープンしていった水族館

第4章の終わりで、日本の水族館は世界的に恵まれた環境にあるという話をしました。そのせいか、2000年前後には日本でもたくさんの新しい水族館が次々とオープンしました。企業が経営している施設が多く含まれ、「水族館は儲かりそうだ」と楽観して事業をスタートしたのだろうと想像します。たしかに、水族館は天気にも左右されづらく家族のお出かけスポットとしてもデート場所としても人気です。エンターテインメント要素が強そうで、うまくやれば大きな利益が出ると考えたのかもしれません。

「水族館は儲かる」という幻想

しかし、生き物を扱う事業はそんなに簡単なものではありません。生き物の命は飼育係の技量に大きく左右されます。従来とは違う革新的なスタイルを前面に押し出した、とある企業経営の水族館では、未経験の人材のみを飼育係として採用していました。それに対して十分な研修もさせないまま現場を任せたことにより、残念ながらオープン当時に導入した生き物の多くが死に絶えました。

また、これまでも触れましたが、水族館は電気設備ありきの施設です。そのため非常にランニングコストがかかるほか、10～20年もすれば設備にガタがきますので、定期的に修理や入れ替えといったメンテナンスにもお金がかかります。とある水族館では、「イルカショーの演出には億単位の予算を惜しげもなく投じるのに、魚類の水槽の修理には一切予算をつけてくれない」と嘆いて転職していった飼育係もいました。企業は営利を追求せざるをえない存在とはいえ、正直、疑問を抱くことは少なくありません。みなさんはどう思いますか？

ショーで勝負できない時代へ

また、水族館といえば、ひと昔前はあちこちで行われていたイルカやアシカなどによるパフォーマンスがお客さんを呼び込む目玉でした。しかし、近年ではアニマルウェルフェアの観点から世界的に批判的な目で見られるようになっています。人間の都合で、生き物をいかにも見せ物といった感じで扱うことに抵抗感を抱く人が増えているのです。現在では「ショー」でなく「パフォーマンス」や「トレーニング」という呼び方で、目的も、イルカやアシカたちを飽きさせない工夫や健康チェックのためとして継続している施設がある一方、廃止する施設も増えています。

このような背景からも、せっかくオープンしたのにうまくいかずに閉館を余儀なくされる水族館も増えています。単なるエンターテインメントの追求に徹してきたところや時代性を意識せずにノーコンセプトでやってきたところは、今後もどんどん淘汰されていくことでしょう。

ちなみに、水族館ではなく動物園の話ですが、なかには人工哺育で育て人慣れした大型肉食獣と触れ合えるといったある種〝刺激的〟な体験を提供することで来園者数を伸ばしている施設もあります。マスコミも面白おかしく報道し、物珍しさもあって人気が高まっているようです。しかし、生き物のウェルビーイングとサステナビリティを重視する世界的な潮流とは真逆のコンセプトであることは明らかです。あえて逆行するのも営業面でのアイデアとしては悪くないかもしれませんが、何より、安全第一の施設であるべき動物園・水族館としては、同じくくりの施設とされるのは困ってしまうことは間違いありません。要は「何かあってからでは遅い」ということなのです。

時代によって変わる動物園・水族館の役割

そもそも動物園や水族館は、時代とともに変化してきた存在です。現在は動物の福祉や施設を含む持続可能性といった観点が重視されていますが、もちろん昔はそんなことはまったく考慮されていませんでした。

少し時代をさかのぼってみましょう。日本における動物園の前身は、江戸時代のいわゆる「見世物小屋」にあります。長らく鎖国していた日本へ、長崎や横浜の港を通じて海外から珍しい動物がもち込まれたのです。ゾウやラクダ、トラやヒョウといった動物を初めて目にした人々はいったいどれほど驚いたことでしょうか。そういった珍しい生き物をお金を払ってでも見たいという、好奇心を満たすビジネスとして成立していたわけです。

世界的には、王侯貴族などの権力者たちが戦利品として手に入れた珍しい動物を庭でコレクションしたり、集めた猛獣などを円形闘技場で戦わせたりしていたのが起源といわれています。今ある動物園に近い形での起源としては、17世紀から見られる「メナジェリー」という、研究や商売目的の飼育舎がそれに該当します。

「見せ物」としての動物コレクション

「見せ物」としての動物コレクションは、人間側の生き物に関する知識の欠如や、安全面のため、狭い檻に動物を押し込めるという形が一般的でした。たとえば、猿人類は水を怖がる性質があり、飼育場所の周囲を水で囲めば檻に閉じ込めずに済むことが今ではよく知られています。しかし、昔はその知識が欠如していたために、ひたすら狭い場所に閉じ込める方法がとられていました。また、少しだけしか見せないことでお客の「もっと見たい」という気持ちを高めるためにも、動物を狭い場所に押し込めることは理にかなっていたのです。

現代ではそのような「見せ物」としての側面は削ぎ落とされ、生き物にとって、より安全で快適な環境で飼育することに重点が置かれるようになりました。展示の仕方もそれに合わせ、より自然な形に近づけるスタイルが主流です。また、1970年代にはワシントン条約が採択・発効。これによって、野生動物を捕獲して動物園・水族館に導入するというようなことが難しくなり、展示自体をいかに維持するかというサステナビリティの観点も重要になってきました。

現在はそのような観点がさらに進化しつつあります。「ゾウが死んでしまったが野生からは連れてこられない」「ゾウが生息する本来の自然に近い環境で飼育できるほどのスペースを用意できない」のなら、「もうゾウは飼わなくてもいいのではないか」ということを考えなくてはいけない時代になってきたのです。ひいては、「動物園・水族館はなくてもいいのでは？　本当に必要か？」という発想にもつながるのです。

動物園や水族館は本当に必要なのか

動物園・水族館がずっと続いていくために必要なもの

もちろん僕は動物園・水族館という場所が大好きなので、この先もずっと続いていくことを望んでいます。とはいえ、時代の流れに合わせて進化することなしに動物園・水族館の未来はないでしょう。

では、これからの動物園・水族館はいったいどう進化していけばよいのか。何を大事にしていけばよいのか。その答えは「教育」だと、僕は考えています。

動物園・水族館の4つの役割

世界動物園水族館協会（WAZA）では、動物園・水族館の目指す4つの役割として、「種の保存」、「教育・環境教育」、「調査・研究」、「レクリエーション」を挙げてきました。

実はこの4つはすべてつながっています。「見たことがない生き物を見たい」「この動物の生態を知りたい」という知的好奇心は、学問や研究の根底にあるものであると同時に、教育と強く紐づいており、さらにはレクリエーションの観点にもつながっているからです。

とはいえ、これまでの考え方自体が古く、サステナビリティの観点が重視される現代では、「何のために動物園・水族館が存在するのか」を明確に設定し、世の中へ発信していくことが必要です。社会がその必要性を理解して受け入れてくれなくては、存続すること自体が難しいのです。さらに「現代社会における役割とは何か」を時代に合わせて考え続ける必要もあります。

こういった「なぜ動物園・水族館が必要なのか」「動物園・水族館はどんな役割を果たしているのか」という存在意義として、今後は「教育」の観点が重要になっていくと僕は考えます。教育にも、さまざまな切り口があります。生き物の生態を伝えるという生物学的な面はもちろん、地球全体に関する環境学的な面や、人間の暮らしに紐づく文化学的な面、海洋資源や畜産資源学的な面もあります。人間自体が生き物であり、同じ地球に生きるほかの生き物のことを扱う動物園・水族館の守備範囲は極めて多岐にわたるのです。「どこでもドア」でも発明されない限り、実際に野生のライオンを見に行くのは非常に時間もお金もかかります。現地へ行っても目の前にライオンが現れる確率を考えると気が遠くなりそうです。つまり、自宅から少し移動するだけで生きたライオンやそのほかの生き物を目にすることがかなう施設の価値は、実は計り知れないのです。

高度で複合的な施設として

地球と生き物のありとあらゆる知識と叡智(えいち)が集まる高度な施設。それが動物園・水族館です。剥製や写真や映像、あるいはＡＩなどは、どうしたって生きた教材には敵いません。その最高のサンプルのある場所で研究が行われ、種が保全され、教育機関として機能するだけでなく、娯楽の目的も満たせる。こんなに素晴らしい施設はなかなかありません。

動物園・水族館は、誇りをもって自らの存在意義を社会に向けて発信するべきです。とはいえ、特に日本にはすでにたくさんの動物園・水族館があります。それぞれの園・館が、自分たちなりの存在意義、つまりコンセプトを明確に定め、それに沿って行動し、発信していくことが求められます。「動物園・水族館はコンセプトが大事」と僕が強く主張するのも、こういった理由があるのです。

たとえそれが「その地域に暮らす固有淡水魚の保全」でもかまいません。その地域における自分たちの価値とは何なのか。自分たちが果たせる役割は何か。地域の人々を納得させられるものであれば、テーマの大小は関係ありません。過日、ある動物園が危険な成分を含んだ水を、あろうことか近くの小川に放流した結果、貴重な在来の生物を死滅させてしまうという事故が起こりました。こんなことは「絶対にあってはならない」などとここで改めて言うべくもないレベルの話です。施設周辺の野生動物とその環境こそを率先して保全するのが動物園・水族館の果たすべき本来の役割の一つであるのに対して、見事に逆行したという事実は極めて遺憾です。

失われた自然に対して、人間はとんでもなく採算の取れない投資を強いられ続けます。「動物園しか生きる場所がなくなってしまった生き物」に「自然を失った人間」の姿を重ねたとき、いったい何を思うのか。そんなことをコンサルタントという外部の人間として、疑問を提起し続けることを忘れずに、その地域にある、そこで暮らす人たちのための施設としての、動物園・水族館のあり方に反映させていくことを肝に銘じているのです。

トキが再び日本の空を舞うようになった理由

動物園・水族館コンサルタントが「種の保全」にかかわることも

動物園・水族館の役割の一つに「種の保全」があるとお話ししました。2つエピソードを紹介しましょう。

日本を代表する鳥といえば、みなさんは何を思いつくでしょうか？

国内の鳥のなかで絶滅の危機に瀕したものとして、代表的な種が大きく4ついます。トキ、コウノトリ、アホウドリ、ライチョウです。トキは、昔、盛んに話題になったのでみなさんもよくご存知かもしれません。残念ながら絶滅してしまいましたが、実は今でも日本の空を普通に舞っています。いったいなぜでしょうか？

実は、中国にいたトキを譲ってもらい、飼育下で十分な数まで繁殖させてから野生に復帰させたのです。学術的には日本のトキと中国のトキは同じ鳥（学名：*Nipponia nippon*）なのです。

このように生き物を保全するための活動に、国や研究施設、動物園・水族館などは全力をあげて取り組んでいるのです。生き物が本来暮らす生息域における保全活動を「生息域内保全」、それ以外での保全活動を「生息域外保全」といいますが、トキの例はまさに域内保全と域外保全の両輪が必要なプロジェクトでした。

ライチョウの卵を求めてノルウェーへ

トキと同じように絶滅が懸念されていた「ライチョウ」に目をつけたのが、上野動物園の小宮園長（当時）でした。ライチョウは「雷鳥」の漢字をもつ、北陸や信州のほうでは「神の鳥」として信仰の対象とされてきた存在です。不思議と雷の鳴っているときにだけその姿を現すという、ある種の神秘性がその由来のようです（種明かしをすると、落雷の恐れのあるときはライチョウを捕食対象とするワシやタカが出てこないので安心して餌を食べられるのです）。

そのような、信仰の対象にもなるほど地域に根ざした貴重な生き物であるライチョウ。これを絶滅させるわけにはいきません。鳥好きの小宮さんは、信州大学や長野県の大町（おおまち）山岳博物館などを訪れ、飼育のための情報を収集。そして環境省へ「野生のライチョウを飼育下で増やしたい」と掛け合ったのですが、捕獲の許可はおりませんでした。

しかしここで諦める小宮さんではありません。日本のライチョウの近縁種がノルウェーにいるという情報を入手。しかも絶滅危惧種どころか現地では狩猟対象だというではありませんか。さっそく小宮さんはノルウェーの学術研究機関に事情を説明し、ノルウェーの「スバールバルライチョウ」の卵を譲ってもらえないかと相談をもちかけました。

とはいえ、ノルウェーもそんなに簡単に捕獲を許可するわけにはいきません。アニマルウェルフェアの観点が重視される昨今では、自分たちが譲った卵がその後どのような道をたどるのかに、しっかり責任をもつ必要があるからです。いいかげんな相手と目的に貴重な個体や卵を譲るわけにはいかないのです。

ノルウェーのライチョウで飼育と繁殖のノウハウを蓄積

「スバールバルライチョウの飼育ノウハウを確立してその実績をもとに環境省へ掛け合って、ニホンライチョウの飼育と繁殖に取り組みたい」という旨を小宮さんが丁寧に伝えたところ、ノルウェー現地で上野動物園の飼育係に2週間の研修を施してもらえることになりました。しかも、小宮さんと飼育係の思いが現地の人たちに通じたのでしょうか、なんとその帰り際にライチョウの卵を譲ってもらえることになったのです。もち帰った卵を大事にあたためたところ、そのうちの数個が孵化(ふか)し、翌年には繁殖にも成功しました。

さらに、第2陣としてニホンライチョウにとっては故郷ともいえる富山県の「富山市ファミリーパーク」という動物園が名乗りをあげ、ノルウェーへ。僕も通訳兼案内役として同行しました。その際も先方のご厚意で帰りに卵を譲ってもらいました。その後、長野県と石川県の動物園もこのプロジェクトに参加。第1陣と2陣とでもち帰った卵から生まれた個体同士で繁殖したライチョウを飼育し、着々と繁殖のノウハウを蓄積していきました。

このような、複数の園におけるスバールバルライチョウの繁殖実績を10年蓄積したところで、いよいよニホンライチョウに再チャレンジ。満を持してあらためて環境省に掛け合い、ニホンライチョウの卵の捕獲の許可を得ることができたのです。上野動物園を中心にそれらを飼育し、2021年、ついに繁殖に成功しました。このまま順調にプロジェクトが進めば、ニホンライチョウの絶滅は免れられるかもしれませんね。

動物園・水族館の主導で種を保全する「域外保全」

ここで紹介したライチョウの飼育エピソードは、ほかでもない動物園という施設が主導して「域外保全」から「域内保全」につなげて絶滅を防ぎつつあるという、格好の事例です。

環境省から捕獲の許可を得るのに10年かかったとお話ししましたが、この類いのプロジェクトではそうとう短いスパンで非常にスムーズに進行した例です。生き物の絶滅を防ぐための活動には、本来、気の遠くなるような長い年月が必要になります。

だからこそ、少しでも絶滅の兆候が見えた生き物に対しては、素早く手を打たなければなりません。生き物はあっという間に増える一方で、あっという間に絶滅してしまうのです。

このような「種の保全」も、動物園や水族館が担う、非常に大切な役割です。

飼われている生き物が教えてくれること

「動物園・水族館は必要ない」という主張

「動物園・水族館の生き物はかわいそう」という考え方があります。「動物園・水族館は必要ない」と主張する動物園・水族館不要論者はいつの時代も存在しています。特に近年では生き物のウェルビーイングに関心を寄せる人も増え、生き物を扱う仕事に就いている人たちは、これまで以上に意識を高くもつことが求められています。

アメリカやヨーロッパではその傾向がより強く、生き物を理不尽に扱っているという理由で動物園や水族館に対して爆破予告や脅迫状が届くこともよくあります。実際に爆破されたこともあります。怖いですね。2003年に世界動物園水族館協会（WAZA）の年次総会がコスタリカで行われた際には、とある動物保護団体から爆破予告があり、総会が中止されたこともありました。

日本ではそこまで過激なことはまだあまりありませんが、とある動物園の園長の動物飼育方針に対して一方的に「納得ができない」と、SNS上で殺害をほのめかすような人がいて、警察沙汰になったことがあります。

動物園・水族館の生き物はかわいそうなのか

「動物園・水族館の生き物は狭いところに閉じ込められてかわいそう」「人間の都合で生き物の自由を奪うのはいかがなものか」という考え方は、僕もよくわかりますし、否定はしません。実際、動物園・水族館の前身となった初期の施設などは、生き物の権利や福祉をまったく考えていないものでした。

しかし、動物愛護団体の活動や人々の意識の向上のおかげで、動物園・水族館業界は飼育動物のウェルビーイングを非常に重視した施設へと進化しています。ドイツでは「この動物を飼育する場合は〇〇㎡以上の広さで、水場は△△で、土と緑の割合は□□で……」

といったルールが厳格に定められ、それに従わない施設は即刻営業停止処分を受けます。アニマルウェルフェアは、すでに世界のスタンダードなのです。

残念ながら日本はそこに遅れがちではあります。というのは、この「アニマルウェルフェア」に限らず、日本の動物園・水族館業界においてはときとしてこうした言葉だけが独り歩きする事態がしばしば起こるからです（いわゆる横文字に弱い、といってしまえばそれまでなのでしょうが）。本書でも度々述べてきた「ウェルビーイング」だとか、あるいは「ハズバンダリートレーニング（受診動作訓練）」などというワードが、海外の園・館でささやかれはじめると、躍起になってその上っ面をなぞろうとする例がたくさんあります。実際、僕も「アニマルウェルフェアのために何をしたら？」という問い合わせをたくさんいただきますし、「具体的にどうしたらいいかわからない」という率直な意見も多々あります。

しかしこうした概念やアイデアというものに対するアプローチやアウトプットは、絶対的な正解が一つしかないわけではありません。たとえば来園者とヒヨコの触れ合いを明日からストップさせれば「アニマルウェルフェアをクリアした動物園」になれるかといえばそういうことではないし、世界基準のなかで恥ずかしくない動物園になれるということでもないのです。ひろく個々の動物種に対し、多くの飼育係たちがさまざまな試行錯誤を経て、その飼育係なりの、その園・館なりのアニマルウェルフェアを削り出し、形づくっていくべきものだと僕は考えています。海外とは国土や文化の差があり、宗教や動物観も違っていますから欧米のルールをそのままコピーして採用するわけにはいきません。しかし、そういった考え方に対する重要性や必要性をまず知ること、そして理解する努力をすること。そのうえで、日本の長い歴史のなかで続いてきた動物園・水族館で今なお脈々と命をつなぎ続ける生き物に対し、心からの熱意を傾けて飼育に取り組む。その姿勢こそが重要であり評価されるべきなのです。

考え方によっては、命がけで食べものを調達することなしに確実に餌にありつける動物は、存外のんびりと暮らせているのかもしれません。野生下にいれば、今この瞬間に天敵に襲われて命を落としても不思議ではありません。動物園・水族館で繁殖し、医学的にも手厚くケアを受けながら、天寿を全うできるのは、ある意味非常に特殊な状況です。

これを「幸せ」といってよいのかは、僕にもわかりません。おそらく、誰にもわからないでしょう。「こういう環境ならこの動物は幸せだろう」と整えた環境は、あくまで人間の想像の産物にすぎません。言葉を話せない動物にとっての本当の幸せは、その動物にしかわからないのです。

ただ、動物園や水族館でその姿を見せてくれる生き物は、その身と命をもって、そのあり方や生き方、死に方、美しさ、力強さ、魅力などを僕たち人間に教えてくれる存在であることはたしかです。たった1匹のメダカでも、1頭のゾウでも、それは等しく同じです。動物園・水族館の生き物たちすべてがそういう存在であるということ、そして動物園・水族館はそういったことを伝えるための施設であり、役割を果たしているのだということを、関係者は自信をもっていえるような努力を続けることが一番重要だと思います。

昨今は「動物園・水族館に求められる役割が多すぎる」と嘆く関係者もいます。はい、間違いなく、多いです。そして着々と増え続けていることも、おそらくこの先まだ増えることも事実でしょう。実際に現場でそれを受け止めなければならない職員の方々のご苦労は僕も先刻承知です。しかし、あえて誤解を恐れずに言うのならば、それもいいのではないでしょうか。「求められるうちが華」ということもあります。多くの役割をこなしながらしかるべき発信をし、その価値を世に問い続けることは茨の道かもしれませんが、それこそがこの先、動物園・水族館の進むべき真っ当な道だと僕は考えます。

「家畜」は生きた文化財

僕たちの生活に欠かせない生き物たち

動物園や水族館で飼われている生き物のほかにも、人間の歴史とともに歩んできた生き物がいます。「家畜」です。家畜とは、人間が何らかの目的のためにつくり出し、人とともに進化しながら生きてきた動物のこと。ウシやウマ、ブタ、ヒツジ、イヌ、ネコなどがいます。アヒルやニワトリなどの鳥類は家禽(かきん)、錦鯉や金魚などの養殖される魚は家魚(かぎょ)と呼ばれます。

これらの生き物は時代と人間の必要性にあわせて品種改良され、食用、あるいは運搬用、動力、愛玩用、観賞用など、さまざまに活用されてきました。しかし、あまりに私たちの生活に身近なせいか、「珍しい」「保護しなくては」と考える対象にはなかなかなりません。現に、日本には、それぞれの地方で長年飼育されていた在来のウマがたくさん存在していましたが、現在まで残っているのはたったの8品種です。ウシにいたっては2品種、ブタはなんと1品種のみです。

ウマは特にわかりやすい例ですが、産業革命以前は動力源や運搬手段として重宝されていました（「馬力」という言葉は、文字通り馬に由来しています）。しかし、今や道にひしめくのは馬車ではなく自動車。ウマはその役割を失い、どんどん数を減らしていきました。たとえば、愛媛

愛媛県の在来馬「野間馬」

県今治市には、みかん畑でみかんを運ぶのに活躍した「野間馬（のまうま）」がたくさんいました。ポニーのような小回りのきく体格で、丘陵地帯でせっせとみかんを運んでいたのです。粗食に耐える頑健な体が農家で重宝されていたといいます。しかし、一時は絶滅寸前まで陥り、今治市の天然記念物に指定されるなどして、現在ではようやく50頭程度まで数を増やしています。

とはいえ、たったの50頭です。日本の動物園であれほどもてはやされ貴重な動物とされるパンダも、中国へ行けば2000頭以上が存在しています。にもかかわらず、野間馬が50頭しかいないことをほとんどの人が知りません。

人の歴史とともに歩んできた在来種

ほかにも、日本在来種とされる家畜の種類はいろいろあります。ウマといえば、武士が合戦で乗っていた軍馬として長野の「木曽馬」がいます。多くの歴史・大河ドラマではサラブレッドという品種の足の長い競走馬が登場しますが、実際の合戦では足が短く体高が低めの木曽馬が使われていたのですね。一時は残り2頭となり、あわや絶滅かと思われていましたが、諏訪大社に神馬として残されていた木曽馬が見つかり、現在では百数十頭まで回復しています。

そのほか、猟犬として用いられ暑さに強い「琉球犬」や、サトウキビ畑を駆け回って番犬をしていた短足でガニ股の「大東犬」、特徴的な3音節の鳴き声が琉球音楽の原点ともいわれるニワトリ「チャーン」、国の特別天然記念物にも指定されている土佐の「オナガドリ」、鹿児島県の口之島(くちのしま)の原生林で明治時代以前に再野生化し生き残る「口之島牛」(トカラ牛)など、在来の家畜はその地方の歴史やバックグラウンドを表す特徴を残しており、非常にユニークで魅力的です。

セントバーナードもプードルも元はオオカミ

家畜のなかでもペットとして愛されているイヌも、セントバーナードのような大型のものからティーカッププードルのような超小型のものまでさまざま。とはいえ、そもそもは共通してオオカミを祖先にもつ動物です。その1種が今や非公認のものも含めれば約800犬種にも増えているのですから、人間の歴史とともに品種改良され、多種多様に変化してきた家畜という存在は本当に面白いものです。

そういえば、イヌといえば少し前に面白いニュースを耳にしました。秋田犬や柴犬といった日本の在来種であるイヌたちの祖先は大陸のハイイロオオカミである、というのが今までの通説でした。しかし、実はイヌは東アジアに生息していたハイイロオオカミとは遠い関係にあった可能性が高く、20世紀初頭に絶滅したといわれているニホンオオカミが最も近縁だとする研究結果が出たのです。つまり、日本在来のイヌたちはニホンオオカミと共通の祖先から生まれた可能性が高いということがわかったのです。

家畜にもっとフォーカスを

このように、非常に奥深く、しかも人間の生活史と密接にかかわりのある生き物である家畜ですが、動物園でパンダやキリンやゾウがもてはやされても、ウマやブタ、イヌを見るために何時間も並ぶ人はまずいません。そもそも、「家畜とは何か」という問いにきちんと答えられる人もほとんどいないでしょう。

多くの家畜は絶滅の危機に瀕しています。にもかかわらず、その品種を保護しようという取り組みはほとんど見られません。これはとても残念なことだと僕は感じるのです。

ドイツに「Arche Warder（ヴァーダーの方舟）」という動物園があります。主にドイツと近隣のヨーロッパ諸国の希少な家畜たちを、原種と共に飼育展示しています。たとえば、ブタの原種はイノシシ。イノシシと多品種のブタを比較展示し、その歴史や品種ごとに改良の目的や経緯を解説してくれているのです。地元のハンブルクはもちろん、政府もこの動物園に資金を提供するなど、国を挙げて家畜の価値にフォーカスしている素晴らしい施設です。このような施設が日本にもあっていいのではないでしょうか。

「生き物の命をいただく」とは

家畜に対する意識が低いということは、命をいただくとはどういうことかへの理解も及ばないということだと思います。東南アジアやヨーロッパ、アメリカなどでは、子どもが養鶏場や市場へお使いに出かけ、その場で自分が鶏を絞めたり、他の人が絞める様子を目の前で見たりする体験を重ねて成長します。

しかし、日本では食肉市場や加工場は人目から切り離されがちです。僕たちが日々いただいている肉や魚、卵、牛乳や、愛用している革製品などがいったいどこからどのようにやってきているのか、もっと意識的になる必要があるのではないでしょうか。

ちなみに、アクアマリンふくしまでは、種々の魚が回遊する大水槽の前でにぎり寿司を提供しています。また、敷地内の池で釣った魚をその場で調理して食べられる場所もあります。これは非常に価値のある試みです。単に「命をいただく」という体験ができるという面だけではありません。たとえば、この大水槽の前で食べられる寿司ネタの一つに「マグロ」があります（※）。そこで配られているパンフレットには、その日に出すネタの海洋資源としての希少性について記載されています。つまり、マグロといってもいくつも種類があり、なかには漁獲量が少ないものもあれば多いものもあり、「漁獲が安定している種については積極的に食べましょう。個体数の減少で漁獲が減っている種については大事に食べましょう」といったことを教えてくれているのです。

このように、娯楽として、あるいは生き物の生態を学べる場といった面だけではなく、命をいただくことや資源としての側面を知ることなど、生き物について多角的視点から教育的なアプローチをしているのは素晴らしい取り組みといえます。

※資源量が安定した魚を中心にしているため、仕入れ状況によってネタは変動

コロナ禍は動物園・水族館を進化させた

外出制限や自粛要請で「お客ゼロ」

みなさんの生活に大きな影響を与え、そして今なお与え続けている新型コロナウイルス感染症。動物園・水族館が受けたダメージも計りしれません。

日本でも1、2を争う大人気動物園である北海道の旭山動物園を例にちょっと考えてみましょう。公営の施設の収入の大部分は入場料が占めています。コロナ禍でお客さんを入場させられないというのは非常に大きな痛手です。旭山動物園は公営としては日本で一番高い入場料である、大人一人あたり1000円を設定していますが、年間の運営費用がいくらかかるかをご存知の方はいるでしょうか？

答えは、約10億円です。そして、コロナ禍の最初の2年は、1年間の収入が約2億円だったそうです。つまり、1年あたり8億円の赤字というわけです。旭山動物園が年間約8億円も赤字を出していたら、旭川市の財政はあっという間に破綻してしまうのです。

もちろんこれは非常にざっくりとした計算ではありますが、「天下の旭山動物園」といってても言いすぎではないほどの存在である旭山動物園がこの窮状(きゅうじょう)でした。日本全国の公営の施設は、これ以上に厳しい状況だったに違いありません。

コロナ禍も落ち着きを見せ、現在、コロナを理由に休園・休館している施設はありません。しかし、蓄積したダメージを跳ね返せるほどの余力のあるところはそんなに多くはないかもしれません。ここからが正念場です。

一方、私営の動物園・水族館は、公営に比べるとしたたかにコロナ禍を乗り越えてきました。というのも、外出自粛や行動制限が声高に叫ばれていた時期、公営の施設には休業以外の選択肢がありませんでした。しかし、私営の場合はおおむね自らの判断で営業を行えます。「コロナ禍で出かける場所がなくて困っている」人たちの受け皿として機能したところもありました。

オンラインで動物園・水族館を楽しめる「ＫＩＦＵＺＯＯ」

動物園や水族館は、お客さんに来てもらってナンボの施設です。お客さんに来てもらえさえすればよかったし、逆をいえば、来てもらえなければ一銭にもなりません。

コロナ禍で収入を得る手段を失ってしまった動物園・水族館をなんとか助けることができないかと考え、僕が思いついたのがオンライン配信でした。全国の動物園・水族館の生き物たちの様子をオンラインで配信し、視聴料としていただいたお金をその施設に寄付する仕組みです。「ＫＩＦＵＺＯＯ（キフズー）」と名づけたこの取り組みを、２０２０年の５月からスタートしました。

休業していても動物園や水族館に完全な〝休み〟はありません。生き物がそこにいる限り、誰かが世話をしなくてはならないからです。動物の健康面もありますから、お客さんが入っていないからといって動物がいつも裏の寝室に引っ込んでいるわけではありません。朝が来れば表のほうへ移動させて餌を食べさせ、そのすきに裏の寝室を掃除する。夕方になればまた裏へ戻し、今度は表を掃除する。その営みは３６５日続くのです。人間にとって規則正しい生活が健康の要であるように、生き物の健康にとってもルーティンを守ることは非常に重要なのです。言い換えれば、シフトを組むとはいえ、飼育係にも休みは存在しないのです。

そんな彼らの様子をオンラインで配信し、見てもらえれば、動物園・水族館にとってわずかでも収入になります。外出がままならずストレスをためている人間側も、自宅で楽しめるちょっとした学びのある息抜きとして喜んでくれるのではないか。そう考えました。

最初に配信をスタートしたのは「沖縄こどもの国」という動物園です。それとほぼ同時のタイミングで北海道の旭山動物園が参加。日本の最北と最南の動物園がそろった形です。

配信は生中継。僕が現地に出向いて撮影・配信をすることもあれば、その施設の飼育係や広報の人が行うこともありました。園長や飼育係がナビゲーターを務めたり、僕が出演したりすることもあります。「長崎バイオパークツアー！　今年生まれた赤ちゃん編」「サケのふるさと千歳水族館　メンテ休館の裏側大公開!!」など、毎回何かしらのテーマを決めて約1時間、現地から生配信。現在は日本全国から15の施設が参加しています。少ないときでも数十人、多いときは数百人が視聴してくれています。チャットでいただくコメントや質問にお答えする形でコミュニケーションできるのも、「投げ銭」機能が使えるのも、リアルタイムならではの楽しみです。

事前にオンラインでチケットを購入する形で、1配信につき500円。チケットを購入するとアーカイブとして後日に配信を視聴することもできます。チケット料金のなかからサーバー費用、僕が出演した場合は交通費などの実費を差し引いた残りのすべてをその施設に寄付しています。参加してくれている動物園・水族館関係者には非常に喜ばれ、試行錯誤を続けながら現在も続いており、海外の動物園も参画し始めています。

コロナ禍がもたらした動物園・水族館のDX化と進化

進化したIT技術によって人々の暮らしをよりよく変革することを「DX」(デジタルトランスフォーメーション)といいます。KIFUZOOはデジタル化の波から遅れがちだった動物園・水族館の意識を変えるきっかけにもなりました。このような新たな形での収益化は、特に公営の施設では以前ならNGのところも多かったでしょう。しかし、沖縄こどもの国や旭山動物園という前例ができたことで、「あそこがやっているなら、うちでもできるかも」と、少しずつその輪が広がっていったのです。このような変化はコロナ禍の副産物といえそうです。

沖縄こどもの国や旭山動物園をはじめとして、ＫＩＦＵＺＯＯのような新たな取り組みへ率先して挑戦した施設には、僕も非常に勇気をもらいました。特に、コロナ禍のなかで新施設を完成させ、多くの繁殖にも成功した旭山動物園は「さすが」の一言です。この業界において存続の危機といえたコロナ禍で、坂東園長を中心とした「それでもやるんだ」という気概のようなものを同園からはひしひしと感じました。それも決してやぶれかぶれに言っているのではありません。経営的な観点から収支を客観的にシビアに意識しつつ「こうなったらもう続けられない」という、いわゆる損益分岐点のさらにその先の究極のところをしっかりと見据えつつ、今そこにいる動物たちの命を預かりつなぐという、動物園の役割の基本中の基本を果たすために粛々と努力していました。同じように沖縄美ら海水族館統括の佐藤圭一さんが、いい意味で「それまでの美ら海らしからぬ」柔軟でクリエーティブな取り組みを積極的に実施していたことも印象的でした。変えるべきことは変え、少しでもチャレンジする価値があると判断したことには積極的に飛び込む。このような柔軟な姿勢は、僕のみならず、多くの動物園・水族館、さらにはお客さんを勇気づけてくれました。

冒険は続く

パンデミックでひっくり返った「当たり前」

動物園・水族館は、広く捉えれば数千年前にその起源をもつ普遍的な施設です。「動物園や水族館がなくなることはないだろう」と、みんな心のどこかで考えていたところがあったように思います。しかし、新型コロナウイルス感染症のパンデミック（世界的大流行）でその前提が見事にひっくり返りました。

2000年代に入ってから中国では水族館の建設ラッシュで、平均して年間7～8施設が次々とオープンする状況が続いていました。ところが、ここ数年は新規オープンの話はほとんど白紙になってしまったか、ストップしてしまっています。

日本全国あちこちでも、たくさんの動物園や水族館がクローズしていきました。神奈川県の「京急油壺マリンパーク」、大阪府の「みさき公園」（動物園）（リニューアルオープン予定）、三重県の「志摩マリンランド」、ほかにもまだまだあります。

コロナ禍に加え、ヨーロッパ付近の不安定な情勢もしばらくは続きそうです。余力と底力のない施設が閉園・閉館を余儀なくされる流れは今後もおそらく止まらないでしょう。

動物園・水族館が生き残る道は、地域の人々に愛され、必要とされる施設になることです。そのためには、地域のバックボーンをしっかり組み込んだ明確なコンセプトと存在意義が必要です。また、同時に、自らの存在意義と役割を外部へ向けて発信していくことも必要なのは言うまでもありません。

近年とみにいわれている「ＳＤＧｓ」。動物園・水族館にとっての「Ｓ」は「sustainable（持続可能な）」ではなく「survival（生き残ること）」だというのが僕の持論です。種の保全という意味での飼育動物たちの命のサバイバル。そして動物園・水族館という施設そのものが存続するためのサバイバル。動物園・水族館におけるサステナビリティ（持続可能性）とはサバイバルそのものなのです。

動物園・水族館がサバイバルし、地域の人たちに愛され続けるためのお手伝いをするのが、動物園・水族館コンサルタントとしての僕の仕事です。コロナ禍の影響で停滞しているとはいいつつも、国内では新設の企画、リニューアルのプロジェクトなどの話もちらほら聞かれるようになっています。世の中がもう少し落ち着いたら、また世界中を飛び回る日々に戻り、愛すべき世界中の動物園・水族館がその地で長く続いていけるよう、明確なコンセプトをもった施設づくりと情報発信のお手伝いをしていくつもりです。

僕の夢～いつか家畜専門の動物園をつくりたい～

そして、いつか家畜専門の動物園をつくれたらいいな、というのが僕のちょっとした夢です。家畜の多様性、背景、ユニークさをもっと多くの人に知ってほしい。家畜の存在と歴史と文化を守っていきたい。そう思っています。

実際につくるとしたら、やはり家畜それぞれに新たなストーリーラインが必要になってきます。その土地の文化背景ごとに違った家畜の品種があるということをふまえてコンセプトを考えることになるだろうと思います。

ちなみに、家畜のことを英語では「livestock」（鯉なども広く含めると「domestic animal」）といいます。少しでもみなさんに家畜の魅力を知ってもらうために、さまざまな家畜を紹介する「LIVESTOCK ZOO（ライブストック・ズー）」というサイトも運営しています。

なお、家畜家禽に関する僕の先生ともいえる存在が、沖縄こどもの国の前園長である高田勝さん。先述の「近藤チルドレン」の一人、というか一番弟子といっても過言ではないかもしれません。高田さんは家畜のスペシャリストであり、超一流の農業家。沖縄における在来豚「今帰仁アグー」のブランド化に成功したことで注目を浴びましたが、単に「飼育し続けることで絶滅を防ぐ」のではなく、本来あるべき文化的、歴史的要素を踏まえた家畜の利用によって保全するという、まさにサステナビリティのみならずサバイバルの達人です。かつては南米で開拓農業に従事したり、まだプラントハンターなどという肩書きがない時代に世界中の珍しい植物をコレクション、販売していたり、一口にその経験や実績を、おいそれと僕が語ることはできないほど野生動物への造詣も深く、生き物を環境の一部として広く捉えているその姿勢に、また、その熱意に日々インスパイアを受けるばかりです。現在もいくつかのプロジェクトで複合的にご一緒し、多くのご指導をいただいています。

動物園・水族館コンサルタントになりたいと思ったら

さて、読者のみなさんのなかには、どうしたら僕と同じような仕事に就けるのかと思ってくださった方がいるかもしれません。

第2章でお話しした通り、気がついたらこの仕事をしていたというのが正直なところで、「これをすれば動物園・水族館コンサルタントになれる」という明確な方法をご紹介できるわけではありません。もしいえることがあるとしたら、リスクを恐れないフットワークの軽さや素直さが大切だということかもしれません。人生で時間と、お金と、労力が限られているのは誰しも同じだとすれば、大事なのはある事柄に対して「チャレンジするか、しないか」のチョイスであり、チャレンジせずに後悔することはあまりにも残念です。チャレンジの結果として失敗するリスクよりも、その失敗から何も得られずに成長のチャンスすら得られない、現状にとどまってしまうリスクのほうがよほど大きいからです。

そして「あの人に会って話をしてみたい」「ここに行ってこれは見ておきたい」というような、ある種シンプルで純粋な心の声に素直に従ってアクションを起こすと、案外何かが生まれることはあるものです。20年近く前に病院のベッドで僕が「動物園が好きだ」と思ったのと同じように。僕も、あのときのような勇気や大胆さを年齢を理由に忘れないでいたいし、近くにそんな人がいたら一緒に仕事をしてみたいと思うかもしれません。

もちろん、英語に限らず他の言語を話せる人は、アドバンテージであることは言うまでもありませんし、この先、日本国内だけを見ているようでは動物園・水族館の世界では生きていけないでしょう。

Better than boring（ベター・ザン・ボーイング）

常にいくつもの動物園・水族館とやりとりをしているため、毎日いろいろな電話やＬＩＮＥがきます。なかには開口一番「このドア、右から開きますか、それとも左から開きますか？」のような、「何の質問？」と逆にこちらが聞きたくなるような電話がくることもあります（この電話は、動物を運ぶためのケージの搬入に関する飼育係からの連絡でした）。「僕に聞かないでよ」とツッコミたくなるような連絡もたくさんきますが、一方で、「暇よりはいいか」と思うのです。英語で言うと「Better than boring」。これはランゲ博士と僕の合言葉のようなもので、「誰からも必要とされず、誰からも声がかからないよりは、何かしていたほうがいいよね」という意味を込めた、僕たちの仕事哲学のようなものです。

人生で起こることは、何が先につながるかわかりません。そのときそのときに自分が興味をもてることを素直に受け入れ、柔軟かつクリエーティブに対応していけばおのずと次の扉は開くと信じています。目先の収入も大切かもしれませんが、やはり僕の幸せの尺度のトッププライオリティはそこにはありません。どう終わらせてよいかもわからない、生き物をキーワードとしたこの旅を、僕はまだまだ続けていくつもりです。

エピローグ

僕の仕事は「好奇心」に支えられている

端的にいって、僕は極めて欲張りです。生き物ももちろん好きですが、アートもマンガも好きですし、自然と歴史も人生には欠かせず、ミッフィーとスヌーピーをこよなく愛し、そもそも美しいもの、美味しいものは基本的にすべてが大好物です。

動物園・水族館コンサルタントの仕事をしながら、できる限り見たことのない生き物を減らし、行ったことのない動物園や水族館を減らす、ということを一つの目標にしてはいますが、おそらく全世界のすべての生き物に出会うということは限られた寿命のなかで果たすことはできないでしょう。いくらアートが好きでも世界中のすべての美術品を見ることはかないませんし、もちろんタイムマシンでもない限りは歴史のすべてを知ることも不可能です。

ですが、それでも僕はこれからも気持ちが惹かれるものがある限り、そのためにできることは何でもやってみるつもりでいます。他人にどう評価されるかではなくやはり自分の好きなものを追求する、そしてそこで得た知見やアイデアをこの先の未来へ、社会へ、しかるべき貢献につなげる。そんな自分の人生を大切にしたいと考えています。特定の分野をとことん極めたナンバーワンになるのは容易ではありませんが、いくつかの分野やポジションにおける経験値やスキル、またネットワークをうまく掛け合わせることで極めてユニークな存在となることは可能なはずです。そしてそれを導いてくれるのが自分の「好き」だと信じています。

「見てみたい」「なぜだろう」「面白そうだ」という知的好奇心は、人間が生きるうえで欠かせないものです。動物園や水族館の原点も人の好奇心です。「見たことのないものを見てみたい」という気持ちにこたえながら、長い歴史のなかで動物園・水族館はここまで進化してきました。僕の仕事も、そんな自分を含む人間の知的好奇心に支えられているのです。

子どもの知的好奇心を育む助けに

動物園や水族館を歩いていると、ときどき、次のような会話が聞こえてくることがあります。

「ねえねえ、パパ、ママ、水たまりにアメンボがいるよ‼」

「汚れるから水たまりに入らないで！　ほら、早くパンダを見に並びに行かないと」

親子の「あるある」です。せっかく動物園や水族館に来たのに、どこにでもいるアメンボやトンボなどに子どもが夢中になってしまうと、親はがっかりしてしまいますよね。

しかし、子どもにとってはアメンボもパンダも等しく興味の対象。その優先順位は子ども本人が決めることかもしれません。

もしかすると、その子は、今見つけたアメンボをきっかけに、将来は昆虫を研究するようになるかもしれません。標本のコレクターとして世界に名を轟(とどろ)かせるようになるかもしれませんし、動物園や水族館の園長・館長になるかもしれません（実際に、いつかの昆虫少年が動物園長、水族館長になった例も国内外に少なくはありません）。はたまた、動物園・水族館コンサルタントになることもあるかもしれません。

今のその子にとっての「一番」を大事にしてあげられたら、きっと、その子どもの今も未来も幸せなものになるのではないかと思います。

動物園や水族館も、その一助になれたらこのうえない本望でしょう。地域の子どもと大人に愛され、人々の好奇心を満たし、人間としてよりよくあるための学びの場を提供する。それは動物園・水族館で働くスタッフに対しても同様です。人間とそのほかのあらゆる生き物たち、植物たちが調和し共生する可能性を模索し提案するのにこれ以上適した施設はないでしょう。ますます多様になる世界中の価値観に対し、共に考え、共に学び続ける、そういった機会を何よりもナチュラルに提供できるのは動物園・水族館にほかならないのです。

そんな素晴らしい場をつくるために、僕は心を震わせる冒険を続けていきたいのです。

最後に、本書でご紹介させていただいたすべての関係者のみなさま、先生方にはあらためて心から尊敬と感謝の気持ちをお伝えしたいと思います。みなさまのご支援とご指導がなければ今の僕はここにいるはずもなく、もちろん本書の刊行もありえなかったでしょう。

ろくに親孝行らしいこともしない僕の放蕩ぶりを半ば諦観気味に見守りつつも支えてくれている両親をはじめ、僕のわがままに付き合ってくれるビジネスパートナーであり公私共に最高の親友であるランゲ博士、多くの扉を開ける鍵を授けて遠行された正田陽一先生、そしてここに掲載しきれなかった愛すべき世界中の動物園人・水族館人のみなさまにあらためて御礼申し上げます。残念ながら僕の力不足でみなさまの期待にお応えできなかったこれまでの経験も含めて、本書を書かせていただきました。無沙汰と不義理の言い訳の一つと、ご笑覧くだされば幸いです。

写真提供

dan pearlman　P.24
旭川市旭山動物園　P.59
高知県立のいち動物公園　P.61
埼玉県こども動物自然公園　P.62
アドベンチャーワールド　P.63
サケのふるさと 千歳水族館　P.93
蒲郡市竹島水族館　P.95
田井朋子（口絵著者幼少期写真）
ほか著者提供

田井基文　Motofumi Tai

1979年生まれ。早稲田大学法学部卒。動物園・水族館コンサルタント。動物園写真家（公益社団法人日本写真家協会正会員）。2009年世界で初めての動物園・水族館専門の雑誌『どうぶつのくに』を創刊。以降、日本動物園水族館協会の公式広報誌やその他各種の専門誌の専任写真家ならびに編集長・発行人を兼任。多くの生物図鑑や関係書籍の制作・出版、各種の動物コンテンツのプロデュースや監修も手がける。動物園・水族館コンサルタントとしては、ベルリン動物園・水族館の前統括園長ユルゲン・ランゲ博士をパートナーにazc（Aquarium Zoo Consulting）として2012年から活動。

世界をめぐる動物園・水族館コンサルタントの想定外な日々

2023年7月18日　第1刷発行

著　者　　田井基文
構　成　　村上杏菜
装　画　　北澤平祐
装　丁　　上坊菜々子
ＤＴＰ　　トラストビジネス株式会社
編　集　　前田康匡（産業編集センター）
発　行　　株式会社産業編集センター
〒112-0011 東京都文京区千石4丁目39番17号
TEL 03-5395-6133　FAX 03-5395-5320
印刷・製本　萩原印刷株式会社

ISBN 978-4-86311-372-5　C0045